D1512915

SCIENCE FICTION

A. E. van VOGT

WELT DER NULL-A

Utopischer Roman

WILHELM HEYNE VERLAG

MÜNCHEN

HEYNE-BUCH Nr. 3117
im Wilhelm Heyne Verlag, München

Titel der amerikanischen Originalausgabe
WORLD OF NULL-A

Deutsche Übersetzung von Walter Brumm

Printed in Germany 1968
Umschlag: Atelier Heinrichs & Bachmann, München
Gesamtherstellung:
Verlagsdruckerei Freisinger Tagblatt, Dr. Franz Paul Datterer oHG., Freising

1

Der gesunde Menschenverstand — er mag tun, was er will — kann nicht umhin, gelegentlich überrascht zu werden. Das Ziel der Wissenschaft ist, ihm diese Emotion zu ersparen und geistige Gewohnheiten zu schaffen, die mit den Gewohnheiten der Welt so in Einklang stehen, daß nichts mehr unerwartet geschehe.

B. R.

».. . die Bewohner einer jeden Hoteletage haben, wie es während der Spiele üblich ist, ihre eigenen Sicherheitsgruppen zu bilden . . .«

Gosseyn starrte düster aus dem gebogenen Eckfenster seines Hotelzimmers. Hier, im dreißigsten Stockwerk, konnte er die Stadt der Maschine unter sich ausgebreitet sehen. Es war ein heller und klarer Tag, und er genoß eine weite Aussicht. Zu seiner Linken funkelte der breite Fluß unter einer Abendbrise. Im Norden zeichneten die niedrigen Berge sich scharf gegen den tiefblauen Himmel ab. Innerhalb der Begrenzungen des Flusses und des Gebirges drängten sich die Gebäude der Stadt längs den breiten Straßen. Es waren hauptsächlich Wohnhäuser mit hellen Dächern, die zwischen Palmen und subtropischen Bäumen schimmerten, aber hier und da waren andere Hotels und größere Gebäude, die sich auf den ersten Blick nicht identifizieren ließen.

Die Maschine selbst stand auf dem eingeebneten Kamm eines Berges. Wie ein silbrig schimmernder Turm ragte sie, ungefähr acht Kilometer vom Stadtzentrum entfernt, in den Himmel. Ihre Gärten und der nahe gelegene Präsidentenpalast waren zum Teil von hohen Bäumen verdeckt. Aber Gosseyn interessierte sich kaum für die Umgebung. Die Maschine selbst überschattete jedes andere Objekt in seinem Gesichtskreis.

Ihr Anblick war ungeheuer erfrischend. Trotz seiner trüben Stimmung empfand Gosseyn Verwunderung und Neugier. Hier war er, zu guter Letzt, um an den Spielen der Maschine teilzunehmen — den Spielen, die für die teilweise Erfolgreichen Reichtum und Rang bedeuteten, für die Gruppe der Sieger aber die Reise zur Venus.

Seit Jahren hatte er kommen wollen, aber es hatte des Todes seiner Frau bedurft, um ihm die Teilnahme zu ermöglichen. Alles, dachte Gosseyn trübe, hatte seinen Preis. In all seinen Träumen von diesem Tag hatte er nie vermutet, daß sie nicht mit ihm kommen und sich selber um die großen Preise bewerben würde. In jenen Tagen, als sie gemeinsam studiert und geplant hatten, waren es Macht und Position gewesen, die ihre Hoffnungen geformt hatten. Weder Patricia noch er hatten sich unter der Reise zur Venus etwas vorstellen können; sie hatten auch kaum daran gedacht. Nun, da er allein war, bedeuteten ihm Macht und Wohlstand nichts. Es war die Abgelegenheit, die Undenkbarkeit, das Geheimnisvolle der Venus, was ihm Vergessen versprach und ihn anzog. Er fühlte sich dem Materialismus der Erde fremd. In einem vollständig unreligiösen Sinn sehnte er sich nach geistiger Erlösung.

Ein Klopfen an der Tür beendete den Gedanken. Er öffnete und sah den Jungen an, der draußen stand. »Ich bin geschickt worden, Sir«, sagte der Junge, »um Ihnen zu sagen, daß alle anderen Gäste dieser Etage im Aufenthaltssalon versammelt sind.«

Gosseyn blickte ihn leer an. »Na und?«

»Sie diskutieren über den Schutz der Leute in dieser Etage während der Spiele.«

»Oh!« sagte Gosseyn.

Er ärgerte sich über seine Vergeßlichkeit. Die Ankündigung über den Hotellautsprecher hatte ihn neugierig gemacht, aber es war ihm schwergefallen, zu glauben, daß die größte Stadt der Erde für die Dauer der Spiele ohne jeden polizeilichen und richterlichen Schutz sein würde. In allen anderen Städten, Dörfern und Gemeinden blieb die Kontinuität der Exekutive gewahrt. Hier, in der Stadt der Maschine, würde es außer den defensiven Maßnahmen der Gruppen einen Monat lang kein Gesetz geben.

»Ich soll Ihnen sagen«, fuhr der Page fort, »daß diejenigen, die nicht kommen, während der Dauer der Spiele keinerlei Schutz genießen werden.«

»Ich gehe sofort hin«, antwortete Gosseyn lächelnd. »Sag ihnen, daß ich ein Neuankömmling bin und es vergessen hatte. Und danke.«

Er gab dem Jungen ein kleines Trinkgeld, schloß die Tür und schaltete das Bandaufnahmegerät am Videophon ein. Dann, nachdem er die Tür sorgfältig hinter sich abgesperrt hatte, machte er sich auf den Weg zum Versammlungsraum.

Als er den geräumigen Salon betrat, bemerkte er einen Mann aus seiner Heimatstadt, einen Ladenbesitzer namens Nordegg. Gosseyn nickte ihm zu und lächelte. Der Mann sah ihn erstaunt an, erwiderte aber weder das Nicken noch das Lächeln. Gosseyn hatte keine Zeit, über die Ungewöhnlichkeit dieses Verhaltens nachzudenken, denn er sah, daß andere der zahlreich Versammelten ihn musterten.

Freundliche Augen, neugierige, freundliche Gesichter, ein wenig abschätzend — das war Gosseyns Eindruck. Er unterdrückte ein Lächeln. Jeder taxierte jeden, jeder versuchte zu bestimmen, welche Chancen seine Nachbarn hätten, bei den Spielen zu gewinnen. Er sah, daß ein alter Mann an einem Schreibtisch einladend winkte, und ging zu ihm. Der Mann sagte: »Ich brauche Ihre Personalien für unser Buch hier.«

»Gosseyn«, sagte Gosseyn. »Gilbert Gosseyn, Cress Village, Florida, vierunddreißig Jahre alt, einen Meter achtzig groß, hundertsiebzig Pfund, keine besonderen Kennzeichen.«

Der alte Mann lächelte augenzwinkernd zu ihm auf. »Das denken Sie«, sagte er. »Wenn Ihr Geist Ihrer äußeren Erscheinung gleich kommt, werden Sie es in den Spielen weit bringen. Aber Sie sagten nicht, ob Sie verheiratet sind.«

Gosseyn zögerte bei dem Gedanken an eine tote Frau. »Nein«, sagte er endlich. »Nicht verheiratet.«

»Nun, Sie sind ein intelligent aussehender Mann. Mögen Sie sich für die Venus als würdig erweisen, Mr. Gosseyn.«

»Danke«, sagte Gosseyn.

Als er sich abwandte, kam Nordegg, der andere Mann aus Cress Village, an den Schreibtisch und beugte sich über die Eintragung. Als Gosseyn eine Minute später wieder hinsah, redete Nordegg lebhaft auf den alten Mann ein, der abwehrende Handbewegungen machte. Gosseyn beobachtete die beiden verwundert, dann vergaß er sie über einem kleinen, jovialen Mann, der mit raschen Schritten in die Mitte des Raumes ging und eine Hand hob.

»Meine Damen und Herren«, begann er, »ich würde sagen, daß wir jetzt mit unserer Diskussion beginnen sollten. Wer an Gruppensicherheit interessiert ist, hat Zeit genug gehabt, sich

hier einzufinden. Für all jene unter Ihnen, die zum erstenmal
an den Spielen teilnehmen, möchte ich kurz die mit der Gruppensicherheit verbundenen Formalitäten erläutern. Wie Sie
wohl wissen, hat jeder der hier Anwesenden seine Angaben
zur Person vor dem Lügendetektor zu wiederholen. Aber bevor
wir damit beginnen, wollen Sie sich bitte melden, wenn Sie
irgendwelche Zweifel an der rechtmäßigen Anwesenheit eines
anderen Mitglieds dieser Gruppe haben. Bitte äußern Sie jeden
Verdacht, auch wenn er sich nicht auf Beweise stützen kann.
Außerdem möchte ich Sie daran erinnern, daß die Gruppe jede
Woche einmal zusammenkommt, und daß Anträge auf Ausschließung einzelner Personen bei jeder Versammlung gestellt
werden können. Hat jemand unter Ihnen schon jetzt einen
Antrag zu machen?«

»Ja«, sagte eine Stimme hinter Gosseyn. »Ich beantrage die
Ausschließung eines Mannes hier, der sich Gilbert Gosseyn
nennt.«

»Was?« sagte Gosseyn. Er fuhr herum und starrte ungläubig
in Nordeggs Gesicht.

Der Mann hielt seinem Blick stand, dann richtete er seine
Aufmerksamkeit auf die Gesichter hinter Gosseyn. Er sagte:
»Als Gosseyn hereinkam, nickte er mir zu, als ob er mich
kenne, und so sah ich mir die Eintragung an, um seinen
Namen zu erfahren und ihn mir in Erinnerung zu bringen. Zu
meiner Verblüffung gibt er als seine Adresse Cress Village,
Florida, an, was der Ort ist, woher ich komme. Cress Village,
meine Damen und Herren, ist ein ziemlich berühmter kleiner
Ort, aber er hat eine Bevölkerung von nur dreihundert Seelen.
Ich besitze einen der drei Läden dort, und ich kenne jeden,
absolut jeden im Dorf und in der Umgebung. In und in der
Nähe von Cress Village ist niemand namens Gilbert Gosseyn
wohnhaft.«

Für Gosseyn war der erste furchtbare Schock gekommen und
gegangen, während Nordegg noch gesprochen hatte. Das Nach-
gefühl war, daß jemand sich auf reichlich obskure Art über ihn
lustig mache.

»Das alles kommt mir ziemlich albern vor, Mr. Nordegg«,
sagte er. Er hielt inne. »Das ist doch Ihr Name, nicht wahr?«

Nordegg nickte. »Richtig. Ich frage mich allerdings, wie Sie
ihn in Erfahrung gebracht haben.«

»Ihr Laden in Cress Village«, erklärte Gosseyn, »steht am

Ende einer Reihe von neun Häusern, wo zwei Landstraßen sich kreuzen.«

»Ich bezweifle nicht«, versetzte Nordegg, »daß Sie Cress Village kennen, entweder durch einen persönlichen Besuch oder durch Fotografien.«

Die Selbstsicherheit des Mannes irritierte Gosseyn. Er kämpfte gegen seine Verärgerung an. »Ungefähr einen Kilometer westlich Ihres Ladens gibt es ein ziemlich eigenartig geformtes Haus.«

»Ein ›Haus‹ nennt er es!« sagte Nordegg. »Den weltberühmten Wohnsitz der Familie Hardie.«

»Hardie«, sagte Gosseyn, »war der Mädchenname meiner Frau. Sie starb vor etwa einem Monat. Patricia Hardie. Hilft das vielleicht Ihrer Erinnerung nach?«

Er sah, wie Nordegg den aufmerksam zuhörenden Leuten ringsum fröhlich zuzwinkerte.

»Nun, meine Damen und Herren, Sie können es selbst beurteilen. Er sagt, Patricia Hardie sei seine Frau gewesen. Von einer solchen Hochzeit hätten wir wohl alle gehört, wenn sie je stattgefunden hätte. Und was das Hinscheiden der armen Patricia Hardie — oder Patricia Gosseyn angeht« — er lächelte, »— so kann ich nur sagen, daß ich sie gestern früh gesehen habe, und daß sie sehr, sehr lebendig war, wie sie da auf ihrem Lieblingspferd, einem weißen Araber, vorbeiritt.«

Das war nicht mehr lächerlich. Nichts von alledem paßte. Patricia hatte nie ein Pferd besessen. Sie waren arme Leute gewesen, hatten tagsüber ihre kleine Obstfarm bearbeitet und abends studiert. Auch war Cress Village keineswegs weltberühmt, und schon gar nicht durch das Landhaus der Hardies. Die Hardies waren niemand. Wer, zum Teufel, sollten sie sein?

Die Frage blitzte ihm durch den Sinn, dann sah er mit klarer Einfachheit das Mittel, das den toten Punkt überwinden würde.

»Ich kann nur vorschlagen«, sagte er, »daß der Lügendetektor meine Angaben überprüft und bestätigt.«

Aber der Lügendetektor sagte: »Nein, Sie sind nicht Gilbert Gosseyn, und Sie waren nie in Cress Village ansässig. Sie sind . . .« Das Gerät verstummte. Dutzende kleiner Elektronenröhren in seinem Innern flackerten unsicher.

»Ja, ja«, drängte der kleine, joviale Mann. »Wer ist er?«

Es folgte eine lange Pause, dann: »Darüber existiert in seinem Geist kein Wissen. Eine einzigartige Kraft geht von diesem

Geist aus, aber er scheint sich seiner wahren Identität selbst nicht bewußt zu sein. Unter diesen Umständen ist eine Identifizierung nicht möglich.«

»Und unter diesen Umständen«, erklärte der kleine Mann mit endgültiger Bestimmtheit, »kann ich nur einen baldigen Besuch bei einem Psychiater vorschlagen, Mr. Gosseyn. Jedenfalls können Sie hier nicht bleiben.«

Eine Minute später stand Gosseyn draußen im Korridor. Ein Gedanke, ein Ziel lag wie ein Eisklumpen auf seinem Gehirn. Er erreichte sein Zimmer und ließ sich eine Videophonverbindung mit Cress Village geben. Es dauerte zwei Minuten, bis sie hergestellt war, dann erschien das Gesicht einer fremden Frau auf der Mattscheibe. Es war ein ernstes, junges und intelligentes Gesicht.

»Ich bin Miß Treechers, Miß Patricia Hardies Sekretärin in Florida. Was möchten Sie mit Miß Hardie besprechen?«

Im ersten Moment verwirrte ihn die Existenz einer Person wie Miß Treechers, dann sagte er: »Es ist privat. Und es ist wichtig, daß ich persönlich mit ihr spreche. Bitte verbinden Sie mich.«

Sein Gesicht oder seine Stimme mußten etwas Gebieterisches haben, denn die junge Frau verlor etwas von ihrer Selbstsicherheit und sagte zögernd: »Eigentlich bin ich nicht berechtigt, es zu sagen, aber Sie können Miß Hardie im Palast der Maschine erreichen.«

»Sie ist hier, in der großen Stadt?« Er merkte nicht, daß er einhängte, aber plötzlich wurde die Mattscheibe dunkel, und Miß Treechers Gesicht war fort. Er war allein mit seiner Erkenntnis: Patricia war am Leben!

Er hatte es natürlich gewußt. Sein Gehirn, erzogen, die Dinge zu akzeptieren, wie sie waren, hatte sich auf die Tatsache eingestellt, daß ein Lügendetektor nicht log. Er saß da, aber er verspürte kein Verlangen, den Palast anzurufen, sie zu sehen, mit ihr zu sprechen. Morgen würde er hingehen, natürlich, aber das schien weit entfernt zu sein. Er merkte, daß jemand heftig an seine Tür klopfte. Er öffnete sie vier Männern, von denen der erste, ein baumlanger, hagerer junger Mann, ohne alle Umschweife sagte: »Ich bin der Subdirektor. Es tut mir leid, aber Sie müssen das Hotel verlassen. Wir bringen Ihr Gepäck nach unten. Während des polizeilosen Monats können wir keine Risiken mit verdächtigen Individuen eingehen.«

Es dauerte ungefähr zwanzig Minuten, bis Gosseyn aus dem Hotel hinausgeworfen war. Die Nacht brach an, als er langsam die fast verlassene Straße entlang ging.

2

Der geniale Aristoteles wirkte durch seine Lehre auf die vielleicht größte Anzahl Menschen ein, die jemals von einem einzigen Mann beeinflußt worden ist . . . Unsere Tragödien begannen, als der ›intensionale‹ Biologe Aristoteles den Sieg über den ›extensionalen‹ mathematischen Philosophen Platon davontrug und alle die primitiven Identifikationen des vorausbestimmten Subjekts . . . zu einem imponierenden System formulierte, dessen Revision uns über mehr als zweitausend Jahre unter Strafandrohung verboten war . . . Deshalb hat man seinen Namen für die zweiwertigen Doktrinen des Aristotelianismus verwendet, und, umgekehrt, den vielwertigen Realitäten der modernen Wissenschaft den Namen Non-Aristotelianismus gegeben . . .

A. K.

Für ernste Gefahr war es noch zu früh. Die Nacht hatte erst begonnen. Die Banden gewalttätiger Strolche, die Herumtreiber, Diebe und Halsabschneider, die sich bald aus ihren Schlupfwinkeln wagen würden, warteten noch auf die Dunkelheit. Gosseyn sah eine an- und ausflackernde Leuchtschrift mit dem verlockenden Signal:

ZIMMER FÜR DIE UNGESCHÜTZTEN
20 DOLLAR PRO NACHT

Gosseyn zögerte. Er konnte sich diesen Preis für die vollen dreißig Tage der Spiele nicht leisten, aber für ein paar Nächte würde es gehen. Widerwillig verzichtete er. Über derartige Quartiere kursierten häßliche Geschichten. Er zog das Risiko vor, die Nacht im Freien zu verbringen.

Er ging weiter. Allmählich wurde es dunkler, und mehr und mehr Lichter gingen an. Die Stadt der Maschine funkelte und blitzte. Entlang einer Straße, die er kreuzte, konnte er die Doppelreihe der Straßenbeleuchtung kilometerweit sehen, einem

Spalier von Wachtposten gleich, die den Weg in starr geometrischer Progression bis an einen fernen und illusorischen Punkt begleiteten, wo sie miteinander zu verschmelzen schienen. Plötzlich fand er alles sehr deprimierend.

Er litt offenbar an einer Art Gedächtnisverlust, und er mußte sich das mit allen Konsequenzen klarmachen. Nur so würde er sich von den emotionellen Auswirkungen seines Zustandes befreien können. Gosseyn versuchte sich diese Befreiung als ein Ereignis im Sinne der Null-A-Interpretation vorzustellen. Das Ereignis war er selbst, so wie er war, Körper und Geist als ein Ganzes, mit Gedächtnisverlust und allem, wie er sich in diesem Augenblick dieses Tages in dieser Stadt präsentierte.

Hinter dieser bewußten Integration standen Tausende von Stunden Training, und hinter dem Training stand die nonaristotelische Technik automatisch extensionalen Denkens, die einzigartige Entwicklung des zwanzigsten Jahrhunderts, die nach vierhundert Jahren zur dynamischen Philosophie der menschlichen Rasse geworden war. »Die Karte ist nicht das Land . . . Das Wort ist nicht das Ding an sich . . .« Der Glaube, daß er verheiratet gewesen war, machte es noch nicht zur Tatsache. Den Halluzinationen, die sein Unterbewußtsein seinem Nervensystem aufgezwungen hatte, mußte entgegengewirkt werden.

Wie immer, ging es auch jetzt. Wie Wasser sich aus einem umgestürzten Eimer ergießt, ergossen sich Zweifel und Ängste aus ihm. Die Last des falschen Grams, falsch, weil er so offenkundig für die Zwecke eines anderen seinem Verstand auferlegt worden war, hob sich von ihm. Er war frei.

Er setzte seinen Weg fort. Beim Gehen blickte er ständig von einer Seite zur anderen und versuchte die Schlagschatten der Hauseingänge und Zufahrten auszuspähen. Straßenecken näherte er sich mit größter Wachsamkeit, die Hand an seiner Waffe. Doch trotz aller Vorsicht sah er das Mädchen nicht, das aus einer Seitenstraße gerannt kam, bis es nur noch einige Schritte entfernt war. Dann prallte sie mit einer Gewalt gegen ihn, die sie beide aus dem Gleichgewicht brachte.

Die Plötzlichkeit des Geschehens brachte Gosseyn nicht aus der Fassung; mit dem linken Arm umfing er ihren Körper knapp unterhalb der Schultern, so daß er ihre beiden Arme im Griff hatte. Mit der Rechten zog er seine Pistole. Alles in einem Augenblick. Nachdem er kurz darauf sein Gleichgewicht wiedergefunden hatte, schleppte er das Mädchen hastig unter das geschweifte Vordach des nächstbesten Hauseingangs. Als er in den Schlagschatten kam, fing das Mädchen an zu zappeln und zu stöhnen. Gosseyn legte seine Hand mit der Pistole über ihren Mund.

»Sch-sch!« machte er. »Es passiert Ihnen nichts.«

Sie hörte auf zu zappeln, und er nahm die Hand von ihrem Mund. Atemlos sagte sie: »Sie waren hinter mir her. Zwei Männer. Sie müssen Sie gesehen haben und fortgelaufen sein.«

Gosseyn überdachte es. Ihre Angst war entweder echt oder gespielt. Gosseyn ließ die harmlose Möglichkeit fallen und beschäftigte sich mit der Wahrscheinlichkeit, daß ihr Auftauchen ein Trick gewesen sei. Er malte sich eine kleine Gruppe von Schlägertypen aus, die irgendwo in der Nähe wartete, begierig, die Früchte einer polizeilosen Stadt zu ernten, aber doch nicht gewillt, das Risiko eines direkten Angriffs auf sich zu nehmen. Er betrachtete sie mißtrauisch und ohne Sympathie, denn wenn sie wirklich harmlos war, was tat sie dann in einer solchen Nacht allein im Freien? Er stieß die Frage ärgerlich hervor.

»Ich bin ungeschützt«, kam die geflüsterte Antwort. »Letzte Woche verlor ich meinen Job, weil ich nicht mit dem Chef ausgehen wollte. Und ich hatte keine Ersparnisse. Meine Zimmervermieterin hat mich heute morgen hinausgesetzt, weil ich die Miete nicht bezahlen konnte.«

Gosseyn sagte nichts. Ihre Erklärung war so schwach, daß er nicht ohne Heftigkeit hätte sprechen können. Nach einem Moment war er nicht mehr so sicher. Auch seine eigene Geschichte würde nicht allzu plausibel klingen, wenn er den Fehler machte, sie in Worte zu fassen. Bevor er jedoch die Möglichkeit in Betracht zog, daß sie die Wahrheit sagte, versuchte er es mit einer weiteren Frage. »Gibt es absolut keinen Ort, wo Sie unterkommen könnten?«

»Nein«, sagte sie. Und das war das. Er hatte sie am Hals; sie war seine Last, womöglich für die Dauer der Spiele. Er führte sie über das Trottoir und auf die Straße. Sie leistete keinen Widerstand.

»Wir gehen auf der weißen Mittellinie«, sagte er. »So können wir die Ecken besser beobachten.«

Die Straße hatte ihre eigenen Gefahren, doch er beschloß, sie nicht zu erwähnen.

»Passen Sie auf«, fuhr Gosseyn ernst fort. »Vor mir brauchen Sie sich nicht zu fürchten. Ich bin auch in einer dummen

Lage, aber ich bin anständig. Wie ich es sehe, sitzen wir beide in der Tinte, und im Moment kommt es nur darauf an, daß wir eine Stelle finden, wo wir die Nacht verbringen können.«

Sie machte ein Geräusch. Gosseyn kam es wie ein gedämpftes und rasch unterdrücktes Lachen vor, aber als er sie scharf ansah, hatte sie ihr Gesicht von der nächsten Straßenlaterne abgewandt, und er war seiner Sache nicht sicher. Dann sah sie ihn an, und er hatte zum erstenmal Gelegenheit, sie etwas genauer zu betrachten. Sie war jung und hatte schmale, dunkel gebräunte Wangen. Sie trug Make-up, aber es war nicht gut aufgelegt und trug nichts zu ihrer Schönheit bei. Ihre Augen waren dunkel, groß und ernst, und sie sah nicht so aus, als ob sie in letzter Zeit Grund zu lachen gehabt hätte. Gosseyns Mißtrauen verflüchtigte sich, aber er begriff, daß er wieder dort stand, wo er angefangen hatte, als Beschützer eines Mädchens, dessen Individualität sich noch nicht in irgendeiner greifbaren Form gezeigt hatte.

Als sie an einer unbebauten Fläche vorbeikamen, blieb Gosseyn nachdenklich stehen. Es war dunkel dort, und zwischen dem kniehohen Unkraut wuchsen verstreut Büsche. Es war ein ideales Versteck für Plünderer und Nachträuber, aber andersherum gesehen war es auch eine mögliche Zuflucht für einen anständigen Mann und seinen Schützling, vorausgesetzt, sie kämen ungesehen hin. Nach kurzer Erkundung stellte er fest, daß es in einer Seitenstraße zwischen zwei Geschäften eine schmale Durchfahrt gab, durch die man den rückwärtigen Teil der unbebauten Fläche erreichen konnte.

Es dauerte zehn Minuten, bis er einen geeigneten Flecken Gras unter einem niedrigen Busch mit weit ausgebreiteten Zweigen ausgemacht hatte. »Hier schlafen wir«, flüsterte er.

Sie setzte sich. Und es war ihre schweigende Ergebenheit, die ihm zu der unvermittelten Erkenntnis verhalf, daß sie zu willig mit ihm gekommen war. Er lag da, die Augen halb zugekniffen, und dachte über die möglichen Gefahren nach.

Die Nacht war mondlos, oder der Mond war noch nicht aufgegangen, und die Dunkelheit unter dem überhängenden Busch war fast vollkommen. Nach einer Weile konnte Gosseyn ihre Gestalt im schwachen Widerschein einer fernen Straßenlaterne undeutlich sehen. Sie lag fast zwei Meter von ihm entfernt, und während dieser ersten Minuten, da er sie angestrengt beobachtete, bewegte sie sich nicht wahrnehmbar. Mehr und mehr wurde ihm bewußt, was für einen unbekannten Faktor sie für ihn darstellte. Sie war ihm mindestens so unbekannt wie er sich selbst. Seine Spekulation endete, als die junge Frau leise sagte: »Ich heiße Teresa Clark. Wie heißen Sie?«

Ja, wie hieß er, fragte sich Gosseyn, doch bevor er antworten konnte, fügte das Mädchen hinzu: »Sind Sie wegen der Spiele hier?«

»So ist es«, sagte Gosseyn. Er fühlte Unbehagen. Er sollte derjenige sein, der Fragen stellte.

»Und Sie?« fragte er schnell. »Sind Sie auch wegen der Spiele hier?«

»Machen Sie keine Witze!« sagte sie bitter. »Ich weiß nicht mal, was dieses A mit dem Strich darüber bedeutet.«

Gosseyn schwieg. Auf der Straße raste ein Wagen vorüber, dichtauf gefolgt von vier weiteren. Das Singen der Reifen auf dem Straßenbelag belebte die Nacht, dann verging das Geräusch. Aber ungewisse Echos blieben, ferne, pulsiernde Geräusche, die die ganze Zeit dagewesen sein mußten, die er aber erst jetzt, nachdem seine Aufmerksamkeit wachgerufen war, mit Bewußtsein hörte.

Die Stimme der jungen Frau drängte sich dazwischen. Sie hatte eine angenehme Stimme, obwohl ein klagender Ton von Selbstbemitleidung darin mitschwang, der ihn störte. »Was hat es mit diesen Spielen eigentlich auf sich? In einer Weise ist es leicht genug zu sehen, was aus den Gewinnern wird, die auf der Erde bleiben: Sie kriegen alle gute Jobs; sie werden Richter, Minister und so. Aber was ist mit den Tausenden, die jedes Jahr das Recht gewinnen, zur Venus zu reisen? Was machen sie, wenn sie dort sind?«

Gosseyn blieb nichtssagend. »Ich persönlich glaube«, sagte er, »daß ich mit der Präsidentschaft zufrieden sein werde.«

Das Mädchen lachte. »Sie werden sich mächtig anstrengen müssen, wenn Sie die Hardies und ihre Bande schlagen wollen.«

Gosseyn setzte sich auf. »Wen schlagen?« fragte er.

»Wieso? Natürlich Michael Hardie, den Präsidenten der Erde.«

Gosseyn ließ sich langsam ins Gras zurücksinken. Das war es also, was Nordegg und die anderen im Hotel gemeint hatten. Seine Erzählung mußte sich wie das Geschwätz eines Geistesgestörten angehört haben. Präsident Hardie, Patricia Hardie, ein palastartiges Sommerhaus in Cress Village — jedes Detail, was er darüber in seinem Gehirn hatte, war absolut falsch.

Wer konnte ihm diese unwahren Informationen eingepflanzt haben? Die Hardies?

»Könnten Sie«, kam Teresa Clarks Stimme zögernd, »mir zeigen, wie ich durch die Spiele irgendeinen kleineren Job gewinnen kann?«

Gosseyn starrte erstaunt durch die Dunkelheit zu ihr. Seine Verwunderung machte einer mitleidigen Regung Platz. »Ich wüßte nicht, wie man das bewerkstelligen könnte«, sagte er. »Die Teilnahme an den Spielen erfordert Wissen und Geschicklichkeit, die man nur in langer Zeit integrieren kann. Während der letzten fünfzehn Tage der Spiele sind die Anforderungen an die geistige Beweglichkeit und die Auffassungsgabe so hoch, daß nur die scharfsinnigsten und am höchsten entwickelten Gehirne der Erde mithalten können.«

»Die letzten fünfzehn Tage interessieren mich nicht. Wenn man es bis zum siebenten Tag schafft, bekommt man einen Job. Das ist doch richtig, nicht?«

»Der niedrigste Job, den man bei den Spielen gewinnen kann«, erklärte Gosseyn sanft, »bringt zehntausend Dollar im Jahr ein. Wie ich gehört habe, soll es da eine furchtbare Konkurrenz geben.«

»Ich fasse schnell auf«, sagte Teresa Clark. »Und ich bin verzweifelt. Das sollte helfen.«

Gosseyn bezweifelte es, aber sie tat ihm leid. »Wenn Sie wollen, gebe ich Ihnen ein kurzes Resümee.«

Er schwieg, aber sie hakte sofort ein. »Ja, bitte.«

Gosseyn zögerte. Der Gedanke, mit ihr über dieses Thema zu sprechen, kam ihm albern vor. Er begann widerwillig. »Das menschliche Gehirn besteht, grob gerechnet, aus zwei Teilen, dem Kortex und dem Thalamus. Der Kortex ist das Zentrum der Urteilskraft, der Thalamus das Zentrum der Gefühlsreaktionen des Nervensystems.« Er brach ab. »Waren Sie schon mal im Gebäude des Instituts für Semantik?«

»Es war wundervoll«, sagte Teresa Clark. »All diese Juwelen und wertvollen Metalle.«

Gosseyn biß sich auf die Unterlippe. »Das meine ich nicht. Ich meine die Bildergeschichte an den Wänden. Haben Sie die gesehen?«

»Ich kann mich nicht erinnern.« Sie schien zu merken, daß er unzufrieden mit ihr war. »Aber ich habe den bärtigen Mann gesehen — wie hieß er doch gleich? —, den Direktor.«

»Lavoisseur?« Gosseyn runzelte die Stirn in der Dunkelheit. »Ich dachte, der sei vor ein paar Jahren bei einem Unfall ums Leben gekommen. Wann haben Sie ihn gesehen?«

»Letztes Jahr. Er war in einem Rollstuhl.«

Gosseyn schüttelte den Kopf. Einen Augenblick lang hatte er geglaubt, sein Gedächtnis habe ihm wieder einen Streich gespielt. Trotzdem schien es seltsam, daß, wer immer sich an seinem Verstand zu schaffen gemacht hatte, ihn nicht wissen lassen wollte, daß der fast legendäre Lavoisseur noch am Leben war.

»Sowohl der Kortex als auch der Thalamus«, fuhr er fort, »sollten systematisch trainiert sein, aber noch wichtiger ist, daß sie koordiniert arbeiten. Wo diese Koordination oder Integration fehlt, hat man es mit einer unausgeglichenen, verwirrten Persönlichkeit zu tun — einseitig und übermäßig gefühlsorientierte Menschen gehören dazu, und, natürlich, alle Erscheinungsformen des Neurotikers. Wenn auf der anderen Seite die kortikal-thalamische Integration erreicht ist, kann das Nervensystem praktisch jedem Schock widerstehen.«

Gosseyn schwieg und erinnerte sich an den Schock, den sein eigenes Gehirn erst vor kurzem erlebt hatte. Das Mädchen fragte rasch: »Was ist? Warum reden Sie nicht weiter?«

»Nichts ist. Wir können morgen früh wieder darüber sprechen.«

Er war plötzlich müde. Er streckte sich aus und schloß die Augen. Sein letzter Gedanke, bevor er einschlief, war die Überlegung, was der Lügendetektor gemeint haben mochte, als er gesagt hatte: »Eine einzigartige Kraft geht von diesem Geist aus.«

Als er erwachte, schien die Sonne. Von Teresa Clark fehlte jede Spur.

Gosseyn vergewisserte sich ihrer Abwesenheit durch ein hastiges Absuchen des Gebüsches. Dann ging er fünfzig oder sechzig Meter durch ein hohes Unkraut zur Straße und sah sich um.

Trottoirs und Fahrbahnen waren belebt. Männer und Frauen in leichter Sommerkleidung eilten an ihm vorbei. Die Geräusche der vielen Stimmen und Maschinen verschmolzen in der Luft zu einem Summen und Dröhnen. Es war plötzlich aufregend. Gosseyn verspürte eine seltsame Heiterkeit und das verstärkt wiederkehrende Gefühl, frei zu sein. Selbst das Verschwinden des Mädchens bewies, daß sie nicht der zweite Schritt irgendeines phantastischen Plans war, der mit dem Angriff auf sein Gedächtnis begonnen hatte. Es war eine Erleichterung, aus seiner Beschützerrolle entlassen zu sein.

Aber dann löste sich ein bekanntes Gesicht aus der vorbeiflutenden Menge menschlicher Antlitze. Teresa Clark, beladen mit zwei braunen Papierbeuteln, rief ihn an.

»Ich habe Frühstück eingekauft«, sagte sie. »Ich dachte, Sie würden lieber draußen essen als in einem überfüllten Restaurant.«

Sie aßen schweigend. Gosseyn bemerkte, daß sie ein regelrechtes Menü eingekauft hatte: Orangensaft, gemischte Weizen- und Maisflocken, Toast mit Butter und rohem Schinken, dazu Kaffee in Plastikbechern.

Fünf Dollar, schätzte er. Reiner Luxus für ein Paar, das dreißig Tage lang von einer sehr kleinen Summe Geldes leben mußte. Und außerdem, so dachte er, würde ein Mädchen, das fünf Dollar besaß, dieses Geld viel eher der Zimmervermieterin für ein paar weitere Übernachtungen bezahlt haben, als es für ein üppiges Frühstück auszugeben. Sie mußte einen guten Job gehabt haben, daß sie mit einem Frühstück Vorstellungen dieser Art verband. Das brachte ihn auf einen neuen Gedanken. Er grübelte einen Moment darüber nach, dann sagte er: »Dieser Chef, der ein Verhältnis mit Ihnen wollte — wie hieß er?«

»Wie?« sagte Teresa Clark. Sie hatte ihren Schinkentoast gegessen und fummelte in ihrer Handtasche. Nun blickte sie verdutzt auf. »Ach, der!« Eine Pause folgte.

»Ja«, drängte Gosseyn. »Wie heißt er?«

Sie hatte sich gefaßt. »Ich möchte lieber nicht von ihm sprechen«, sagte sie. »Es ist keine angenehme Erinnerung. Sagen Sie, muß ich für den ersten Tag viel wissen?«

Gosseyn war geneigt, die Sache mit ihrem Chef weiterzuverfolgen, dann verzichtete er darauf. »Nein«, antwortete er. »Glücklicherweise ist der erste Tag nicht mehr als eine Formsache. Man läßt sich registrieren und bekommt seine Kabine zugewiesen, wo die ersten Tests stattfinden. Dann muß man vielleicht noch definieren, was das A mit dem Querstrich darüber bedeutet. Niemand kann auf Erden gelebt haben, ohne etwas vom Wesen des Null-A mitbekommen zu behaben. Seit mehreren hundert Jahren ist es immer mehr zu einem Teil unserer gewöhnlichen geistigen Umgebung geworden. Natürlich haben die Leute eine Tendenz, Definitionen zu vergessen, aber wenn es Ihnen wirklich ernst damit ist . . .«

»Das dürfen Sie mir glauben«, sagte das Mädchen. Sie zog ein Zigarettenetui aus ihrer Handtasche. »Rauchen Sie?«

Das Zigarettenetui glitzerte in der Sonne. Brillanten, Smaragde und Rubine funkelten auf der ziselierten goldenen Oberfläche. Eine Zigarette, die im Etui bereits automatisch angezündet worden war, ragte aus einer Öffnung. Die Edelsteine konnten aus Glas und das Gold aus Imitation sein. Aber das Etui sah nach Handarbeit aus, und seine augenscheinliche Echtheit war überwältigend. Gosseyn schätzte seinen Wert auf fünfundzwanzigtausend Dollar.

Er fand seine Stimme wieder. »Nein, danke«, sagte er. »Ich rauche nicht.«

»Es ist eine besondere Marke«, sagte die junge Frau beharrlich. »Wunderbar mild.«

Gosseyn schüttelte den Kopf, und diesmal nahm sie die Weigerung an. Sie nahm die Zigarette aus dem Etui, steckte sie zwischen die Lippen und inhalierte mit tiefem Genuß. Dann ließ sie das Etui wieder in der Handtasche verschwinden, anscheinend ohne zu merken, welche Sensation es verursacht hatte. Sie sagte: »Erzählen Sie mir mehr über die Studien. Später können wir uns trennen, um uns heute abend wieder hier zu treffen. Sind Sie damit einverstanden?«

Sie war eine sehr selbstbewußte und dominierende junge Frau, und Gosseyn bezweifelte, daß er lernen würde, sie zu mögen. Sein Verdacht, daß sie mit einem bestimmten Ziel in sein Leben gekommen war, verstärkte sich neuerlich. Möglicherweise war sie ein Bindeglied zwischen ihm und jenen Kräften, die sein Gehirn manipuliert hatten, wer immer sie sein mochten. Er durfte sie nicht gehen lassen.

»In Ordnung«, sagte er. »Aber wenn Sie lernen wollen, ist keine Zeit zu verlieren.«

3

Zu sein ist verwandt sein.

C. J. K.

Gosseyn half dem Mädchen aus dem Bus. Sie gingen um eine Baumgruppe, durch ein massives Tor und kamen in Sicht der

Maschine. Das Mädchen ging unbekümmert weiter, aber Gosseyn blieb stehen.

Die Maschine war am Ende einer breiten Avenue, ungefähr einen Kilometer vom Tor entfernt. Sie hatte die Form eines gigantischen Zuckerhuts aus schimmerndem Metall und erhob sich hoch in den Himmel. Gekrönt war sie von einem Stern aus atomarem Licht, der heller strahlte als die Mittagssonne darüber.

Bisher hatte Gosseyn nicht daran gedacht, aber nun wurde ihm plötzlich klar, daß die Maschine seine falsche Identität niemals akzeptieren würde. Er fühlte eine Beklemmung und stand unsicher und deprimiert da. Er sah, daß Teresa Clark haltgemacht hatte und zurückblickte.

»Ist dies das erstemal, daß Sie die Maschine aus der Nähe sehen?« fragte sie mitfühlend. »Es nimmt einen mit, nicht wahr?«

Ihr Verhalten hatte etwas Überlegenes, das ein blasses Lächeln auf Gosseyns Lippen brachte. Diese Stadtleute, dachte er. Aber er fühlte sich etwas besser und nahm ihren Arm und ging weiter. Seine Zuversicht wuchs langsam. Sicherlich würde die Maschine ihn nicht wegen einer Abstraktion wie der nominellen Identität zurückweisen.

Je näher sie der Maschine kamen, desto dichter drängte sich die Menge, und um so deutlicher wurden die riesigen Ausmaße. Die gerundeten Wände und die Höhe gaben dem Bauwerk ein schlankes, stromlinienförmiges Aussehen, das durch die breiten Außentreppen, die bis zum vierten Geschoß hinaufführten, nicht beeinträchtigt wurde. Zusammen mit den drei unterirdischen Geschossen waren insgesamt sieben Stockwerke mit Einzelkabinen für die Teilnehmer an den Spielen ausgerüstet.

»Nun, da ich hier bin«, sagte Teresa Clark unbehaglich, »fühle ich mich meiner Sache nicht mehr so sicher. Diese Leute sehen alle so intelligent aus.«

Gosseyn lachte über ihren Gesichtsausdruck, aber er sagte nichts. In diesem Augenblick war er überzeugt, daß er bis zum dreißigsten Tag durchhalten würde. Sein Problem war nicht, ob er gewinnen würde, sondern ob man ihm einen Versuch erlauben würde.

Riesenhaft und undurchdringlich überragte die Maschine das Gewimmel der Menschen zu ihren Füßen. Sie war bereits älter als jedes lebende menschliche Wesen. Sich selbst erneuernd, ihres eigenen Lebens und Zwecks bewußt, blieb sie größer als jedes Individuum, immun gegen Bestechung und Korruption und theoretisch imstande, ihre eigene Vernichtung zu verhindern.

»Moloch!« hatten die zahlreichen Gegner des Projekts geschrien, als die Maschine erbaut worden war. »Götzenbild!«

»Nein«, hatten die Erbauer geantwortet, »kein Zerstörer, sondern ein mechanisches Gehirn mit kreativen Funktionen und einer Fähigkeit, sich selbst zu vervollkommnen.« Im Laufe von dreihundert Jahren hatten die Menschen gelernt, ihre Entscheidungen zu akzeptieren, selbst wenn es um die Frage ging, wer sie regieren sollte.

Gosseyn hörte das Gespräch zwischen einem Mann und einer Frau, die in seiner Nähe gingen.

»Diese Polizeilosigkeit ist es, die mir Angst macht«, sagte die Frau. »Man ist seines Lebens nicht mehr sicher.«

»Das zeigt, wie es auf der Venus sein muß, wo die Polizei überflüssig ist«, erwiderte der Mann. »Wenn wir uns der Venus würdig erweisen, werden wir auf einem Planeten leben, wo jedermann vernünftig ist. Die polizeilose Periode gibt uns Gelegenheit, die Fortschritte hier auf Erden zu messen. Früher muß es einmal wie in einem Alptraum gewesen sein, aber ich habe schon in meiner Lebenszeit eine Verbesserung festgestellt. So eine Periode ist notwendig, ganz sicher.«

»Ich glaube, hier werden wir uns trennen müssen«, sagte Teresa Clark. »Der Buchstabe C ist unten im zweiten Kellergeschoß, die G's sind eine Etage höher. Wir sehen uns heute abend auf dem unbebauten Platz. Irgendwelche Einwände?«

»Keine.«

Gosseyn wartete, bis sie auf der abwärts führenden Treppe außer Sicht gekommen war, dann folgte er. Er sah sie kurz, als sie am Fuß der Treppe anlangte. Sie hielt auf den gegenüberliegenden Ausgang am Ende eines breiten und langen Korridors zu, und als er die Hälfte dieses Korridors hinter sich hatte, sah er sie eine andere Treppe hinaufspringen, die ins Freie führte. Bis er sich im Menschenstrom durchgearbeitet hatte und im hellen Sonnenlicht umherblinzelte, war sie nicht mehr zu sehen. Nachdenklich kehrte er um. Er war ihr gefolgt, weil er gedacht hatte, sie habe möglicherweise Lampenfieber vor den Tests, aber nun erwachte sein Verdacht erneut, und es war beunruhigend, ihn bestätigt zu sehen. Das Problem Teresa Clark komplizierte sich.

Aufgeregter, als er erwartet hatte, betrat Gosseyn eine leere Examenskabine in der Abteilung G. Die Tür hatte sich kaum hinter ihm geschlossen, als eine Lautsprecherstimme geschäftsmäßig fragte: »Ihr Name?«

Gosseyn vergaß Teresa Clark. Hier war die Krise.

Die Kabine enthielt einen bequemen Drehsessel, einen Schreibtisch mit Schubladen und einer transparenten Wandverkleidung über der Schreibplatte, hinter der Elektronenröhren in roten und gelben Mustern glühten. In der Mitte der Wandverkleidung war die ebenfalls aus transparentem Plastikmaterial bestehende Sprechanlage untergebracht. Von dort war die Stimme der Maschine gekommen. Sie wiederholte: »Ihr Name?«

»Gilbert Gosseyn«, sagte Gosseyn, auf alles gefaßt.

Es wurde still. Einige der kirschroten Röhren flackerten. »Vorläufig«, sagte die Maschine dann, »werde ich diesen Namen akzeptieren.«

Gosseyn sank tiefer in den Sessel zurück. Die Aufregung machte ihm warm. Er fühlte sich im Begriff, eine Entdeckung zu machen. »Sie kennen meinen wahren Namen?« fragte er.

Wieder trat eine Pause ein. Gosseyn hatte Zeit, darüber nachzudenken, daß die Maschine in diesem selben Augenblick Zehntausende von Gesprächen mit den Menschen in allen Kabinen ihres Unterbaues führte. »In Ihrem Geist gibt es keine Erinnerung an einen anderen Namen«, sagte die Maschine dann. »Aber lassen wir das. Sind Sie für Ihren Test bereit?«

»Aber . . .«

»Keine weiteren Fragen jetzt«, sagte die Maschine. »In einer der Schubladen finden Sie Schreibmaterial. Die Fragen sind auf jedem Bogen vorgedruckt. Lassen Sie sich Zeit. Sie haben dreißig Minuten zur Verfügung und werden den Raum erst nach Ablauf dieser Frist verlassen können. Viel Erfolg.«

Die Fragen waren, wie Gosseyn sie sich vorgestellt hatte: Was ist Non-Aristotelianismus? Was ist Non-Newtonianismus? Was ist Non-Euklidismus?

Die Fragen waren nicht wirklich leicht. Die beste Methode war, keine detaillierte Antwort zu versuchen, sondern ein klares Bewußtsein der richtigen Wortbedeutung und der Tatsache zu beweisen, daß jede Antwort nur eine Abstraktion sein konnte. Gosseyn begann, indem er die anerkannten Abkürzungen für jeden Begriff niederschrieb, eine für das gesprochene und die andere für das gedruckte Wort: Null-A, oder -A; Null-N, oder -N; Null-E, oder -E.

Nach zwanzig Minuten war er fertig und lehnte sich zurück, prickelnd vor Erwartung. Die Maschine hatte gesagt: »Keine weiteren Fragen, jetzt«, was nahelegte, daß sie wieder mit ihm sprechen würde. Nach Ablauf von weiteren fünf Minuten meldete sich die Stimme von neuem.

»Staunen Sie nicht über die Einfachheit des heutigen Tests. Denken Sie daran, daß es nicht Sinn der Spiele ist, die große Mehrheit der Teilnehmer auszuscheiden. Der Zweck ist, jedes Individuum so zu erziehen, daß es den bestmöglichen Gebrauch von seinem ererbten komplexen Nervensystem machen kann. Das kann nur erreicht werden, wenn jeder die vollen dreißig Tage an den Spielen beteiligt bleibt. Und nun, jene, die den heutigen Test nicht bestanden haben, sind bereits informiert. Sie werden als Teilnehmer an den diesjährigen Spielen ausscheiden. Allen anderen, und das sind mehr als neunzig Prozent, wie ich mit Befriedigung feststellen konnte, viel Glück für den morgigen Tag.«

Es war schnelle Arbeit. Gosseyn hatte seinen ausgefüllten Fragebogen nur in den dafür vorgesehenen Schlitz gesteckt. Eine Fotozelle hatte den Text abgetastet und die Impulse an die Rechenanlage weitergeleitet, wo sie auf eine flexible Weise mit den richtigen Antworten verglichen und für gut befunden worden waren. Die Antworten von fünfundzwanzigtausend anderen Teilnehmern waren genauso geprüft worden, und in ein paar Minuten würden Massen neuer Kandidaten in den Kabinen Platz nehmen.

»Sie möchten weitere Fragen stellen, Gilbert Gosseyn?« fragte die Maschine.

Gosseyn spannte sich. »Ja. Ich hatte falsche Vorstellungen im Gedächtnis, die mir von irgendeiner Seite eingepflanzt sein mußten. Geschah dies vorsätzlich, für einen bestimmten Zweck?«

»So ist es.«

»Wer hat sie mir eingegeben?«

»Darüber existieren in Ihrem Gehirn keine Aufzeichnungen.«

»Woher wissen Sie dann, daß sie mir eingepflanzt worden sind?«

»Durch logische Folgerungen«, sagte die Maschine. »Die Tatsache, daß Ihre Illusion mit Patricia Hardie verknüpft war, ist sehr aufschlußreich für mich.«

Gosseyn zögerte, dann sprach er den Gedanken aus, der ihn beschäftigte. »Viele Psychoneurotiker haben ähnlich starke illusionäre Überzeugungen. Solche Leute identifizieren sich gern mit großen Persönlichkeiten: ›Ich bin Napoleon‹; ›ich bin Lenin‹; ›ich bin Tharg‹; ›ich bin mit Patricia Hardie verheiratet.‹ Gehört mein falscher Glaube in diese Kategorie?«

»Keinesfalls. Sehr starke Überzeugungen werden häufig durch hypnotische Mittel erreicht. Auch die Ihre fällt unter diese Kategorie. Darum konnten Sie die Empfindungen des Grams rasch abschütteln, als Sie erfuhren, daß Ihre vermeintliche Frau am Leben ist. Ihre Erholung ist jedoch noch nicht abgeschlossen.«

Eine Pause folgte. Als die Maschine wieder sprach, war eine seltsame Traurigkeit in ihren Worten. »Ich bin nur ein unbewegliches Gehirn, aber ich bin mir undeutlich bewußt, was sich in abgelegenen Teilen der Erde zusammenbraut. Was für Pläne vorbereitet werden, kann ich nur vermuten. Sie werden erstaunt und enttäuscht sein, wenn ich Ihnen sage, daß ich nicht mehr darüber äußern kann.«

»Aber was können Sie mir sagen?« fragte Gosseyn.

»Daß Sie sehr tief in diese Vorgänge verwickelt sind, daß ich aber Ihr Problem nicht lösen kann. Ich rate Ihnen, daß Sie zu einem Psychiater gehen und eine Aufnahme von Ihrem Kortex machen lassen. Ich habe den Eindruck, daß etwas in Ihrem Gehirn ist, aber ich kann es nicht definieren. Das ist alles, was ich Ihnen dazu sagen kann. Auf Wiedersehen bis morgen.«

Das Türschloß schnappte automatisch zurück. Gosseyn trat auf den Korridor hinaus und ließ sich vom Strom der Menge zum Nordausgang tragen.

Er fand sich auf einem plattenbelegten Boulevard wieder, der, von streng geometrisch angeordneten Gebäudegruppen gesäumt, schnurgerade auf den Palast der Maschine zuführte.

Der Palast war nicht groß, aber von kühler Vornehmheit der Architektur. Er stand inmitten weitläufiger Parkanlagen mit alten Bäumen und farbenfrohen Blumenrabatten. Aber diese Äußerlichkeiten waren es nicht, die Gosseyns Aufmerksamkeit fesselten. Präsident Hardie und seine Tochter Patricia lebten dort. Wenn er tief in Vorgänge verstrickt war, die das Schicksal der Erde betrafen, dann ließ sich das gleiche von ihnen sagen. Warum hatte man ihm die Überzeugung eingegeben, daß er mit einer toten Patricia Hardie verheiratet gewesen war? Es erschien ihm unsinnig. Jeder Lügendetektor hätte die Wahrheit über seine Behauptungen herausgebracht, auch wenn kein Nordegg dagewesen wäre.

Gosseyn machte kehrt und ging um den Fuß der Maschine herum und zurück in die eigentliche Stadt. Er aß in einem kleinen Restaurant in der Nähe des Flusses zu Mittag, dann begann er die gelben Seiten eines Adreßbuches zu durchblättern. Er wußte, nach welchem Namen er zu suchen hatte, und fand ihn bald:

ENRIGHT, David Lester, Dipl.-Psychol.
709 Haus der medizin. Wissenschaften

Enright hatte mehrere Bücher geschrieben, deren Lektüre für jeden zwingend war, der hoffte, bei den Spielen über den zehnten Tag hinauszukommen. Gosseyn schlug das Adreßbuch zu und machte sich auf den Weg. Er fühlte sich entspannt; seine Nerven waren ruhig. Die bloße Tatsache, daß er sich an Enright und seine Bücher bis ins Detail erinnerte, zeigte, wie leicht die von außen projizierte Amnesie auf seinem Gedächtnis ruhte. Die Empfangsdame im Vorzimmer des berühmten Mannes dämpfte Gosseyns hochgespannte Erwartungen. »Dr. Enright ist nur auf Verabredung zu sprechen«, sagte sie. »Ich kann Ihnen einen Termin in drei Tagen geben; Donnerstag vierzehn Uhr. Sie müßten allerdings zur Sicherheit fünfundzwanzig Dollar hinterlegen.«

Gosseyn bezahlte den Betrag, was ihn schwer ankam, nahm seine Quittung in Empfang und ging. Er war enttäuscht, aber doch nicht zu sehr. In einer Welt, die noch immer weit davon entfernt war, Null-A-Perfektion zu erreichen, waren gute Ärzte vielbeschäftigte Männer.

Wieder auf der Straße, sah er einen der längsten und luxuriösesten Wagen, den er je gesehen hatte, lautlos vorbeirollen und an einer Straßenecke hundert Meter voraus halten. Der Wagen schimmerte in der Nachmittagssonne. Ein livrierter Diener sprang heraus und öffnete den hinteren Schlag.

Teresa Clark stieg aus. Sie trug ein dunkles Nachmittagskleid, das ihr Gesicht ein wenig voller und durch den Kontrast weniger gebräunt erscheinen ließ. Teresa Clark! Der Name war angesichts dieser Pracht bedeutungslos.

»Wer ist das?« fragte Gosseyn einen Mann, der neben ihm stehengeblieben war.

Der Mann gab ihm einen verwunderten Blick, dann sprach er den Namen aus, den Gosseyn bereits vermutet hatte. »Wieso,

das ist Patricia Hardie, die Tochter des Präsidenten. Eine Neurotikerin, wenn mich nicht alles täuscht. Sehen Sie sich bloß
den Wagen an, zum Beispiel. Wie ein überdimensionales Juwel,
ein sicheres Zeichen für . . .«

Gosseyn wandte sich ab. Es wäre unklug, sich ihr zu erkennen zu geben, dachte er. Zuerst mußte er diese neue Wendung
überdenken. Es schien lächerlich, daß sie am selben Abend zu
einem dunklen Platz in der Vorstadt kommen würde, um sich
allein mit einem fremden Mann unter einen Busch zu setzen.

Aber sie war dort.

Gosseyn stand unbeweglich in einem schattigen Versteck und
starrte nachdenklich auf die dunkle Gestalt des Mädchens. Er
hatte sich dem Treffpunkt sehr vorsichtig und geschickt genä-
hert. Ihr Rücken war ihm zugekehrt, und sie schien nichts von
seiner Anwesenheit zu ahnen. Trotz seiner sorgfältigen Erkundung der umliegenden Häuser und Gärten war es möglich, daß
er sich bereits in einer Falle befand. Aber das war ein Risiko,
das er ohne Zögern auf sich genommen hatte. Hier, in diesem
Mädchen, war der einzige Hinweis auf das Geheimnis seiner
selbst. Er beobachtete sie neugierig, obwohl es mit zunehmender Dunkelheit schwierig wurde, Einzelheiten zu erkennen.

Am Anfang saß sie mit ihrem linken Fuß unter dem rechten
Bein im Gras. Im Laufe der nächsten zehn Minuten veränderte
sie ihre Position fünfmal. Zweimal stand sie halb auf, und im
übrigen verbrachte sie einen Teil ihrer Zeit damit, daß sie mit
dem Zeigefinger Figuren ins Gras zeichnete. Zwischendurch
nahm sie ihr Zigarettenetui heraus und steckte es wieder ein,
ohne eine Zigarette zu nehmen. Sechs- oder siebenmal schüttelte sie ihren Kopf, als ob sie sich gegen einen Gedanken zur
Wehr setze. Dann zuckte sie die Achseln, legte ihre Arme um
den Oberkörper und fröstelte, wie es schien. Dreimal hörte
Gosseyn sie seufzen, einmal ungeduldig mit der Zunge schnal-
zen, und ungefähr eine Minute lang saß sie vollkommen still.

Am Abend zuvor war sie nicht so nervös gewesen. Es war
das Warten, dachte Gosseyn. Sie war ganz darauf eingestellt,
mit Leuten zusammenzukommen und umzugehen. Allein gelassen, ging ihr jede Fähigkeit zur Geduld ab.

Was hatte der Mann am Nachmittag gesagt? Neurotikerin.
Das war sie zweifellos. In ihrer Kindheit mußte man ihr jene
frühzeitige Null-A-Ausbildung vorenthalten haben, die für die
Weiterentwicklung zum koordinierten Menschen so notwendig

war. Daß so etwas im Haus einer großartig integrierten Persönlichkeit wie Präsident Hardie hatte geschehen können, war ein Rätsel. Aus welchem Grund auch immer, sie war ein Mensch, dessen Thalamus alle ihre Handlungen kontrollierte.

Gosseyn beobachtete sie weiter. Nach zehn Minuten reckte sie sich, zog ihre Schuhe aus und rollte auf die Seite. Dann entdeckte sie Gosseyn.

»Keine Angst«, beruhigte er sie. »Ich bin es nur.« Er lachte leise. »Ich vermute, Sie haben meine Schritte gehört.«

Er vermutete nichts dergleichen, aber sie war heftig zusammengefahren, und es erschien ihm richtig, sie zu besänftigen.

»Sie haben mich erschreckt«, sagte sie. Ihre Stimme war ein wenig demütig-vorwurfsvoll, wie es sich gehörte. Er setzte sich neben sie ins Gras und ließ das Gefühl der Nacht auf sich einwirken. Die zweite polizeilose Nacht. Er konnte die Geräusche der Stadt hören, schwach, fern und wenig aufregend. Wo waren die Banden und die Diebe? Vielleicht hatten die Jahre und die gewaltige Erziehungsarbeit ihre Zahl dezimiert und nur die beängstigenden Legenden und ein paar Unverbesserliche zurückgelassen, die nachts umherschlichen und Obdachlose anfielen. Aber wenn er den dunklen Äußerungen der Maschine glauben sollte — und er glaubte ihnen —, wurde irgendwo Gewalttat geplant oder ausgeführt. Irgendwo? Vielleicht hier?

Gosseyn sah das Mädchen an. Nach einer Weile begann er leise zu sprechen — von seinem Hinauswurf aus dem Hotel, der Amnesie, die sein Gedächtnis verbarg, der sonderbaren Täuschung, daß er mit Patricia Hardie verheiratet gewesen sei. »Und dann«, endete er hilflos, »erwies sie sich als die Tochter des Präsidenten, und sehr lebendig obendrein.«

Patricia Hardie sagte: »Diese Psychologen, wie der, zu dem Sie gehen — ist es wahr, daß das alles Leute sind, die bei den Spielen die Reise zur Venus gewonnen haben und zur Erde zurückgekehrt sind, um ihren Beruf auszuüben? Und daß praktisch kein anderer Chancen hat, in diese und die verwandten Laufbahnen hineinzukommen?«

Daran hatte Gosseyn noch nie gedacht. »Wieso — ja«, murmelte er. »Anderen steht natürlich die Ausbildung offen, aber ...« Er verstummte, fragte sich, warum sie gerade diese Frage gestellt hatte, statt auf seine Geschichte als Ganzes einzugehen. Forschend blickte er sie an, aber ihre Züge blieben im schwachen hellen Oval ihres Gesichts verborgen. Ihre Stimme kam wieder.

»Wollen Sie sagen, daß Sie auch nicht die leiseste Ahnung haben, wer Sie sind? Wie sind Sie denn in diese Stadt und ins Hotel gekommen?«

»Ich erinnere mich, daß ich einen Bus von Cress Village zum Flughafen in Nolendia genommen habe. Und ich erinnere mich ganz deutlich, daß ich im Flugzeug gewesen bin.«

»Haben Sie an Bord etwas gegessen?«

»Nein, ganz bestimmt nicht.«

»Und Sie haben wirklich nicht die leiseste Ahnung, was das alles bedeutet? Sie haben keinen Plan, keine Vorstellung, wie Sie damit fertigwerden können? Sie tasten einfach so im Nebel herum?«

»So ist es«, sagte Gosseyn. Und wartete.

Die Stille währte lange. Zu lange. Und als schließlich die Antwort kam, da kam sie nicht von den Mädchen. Jemand sprang ihn von hinten an und drückte ihn auf den Boden. Andere Gestalten schwärmten aus dem Gebüsch. Er hatte sich vom ersten Angreifer befreit und sprang auf und stieß ihn zurück, aber da hingen die anderen schon wie Trauben an ihm, hielten seine Arme fest und drehten sie ihm auf den Rücken.

Ein Mann sagte: »Okay. Und nun in die Wagen mit ihnen und weg.«

Als sie ihn in den Fond einer geräumigen Limousine schoben und zwei Männer rechts und links von ihm Platz nahmen, fragte er sich, ob diese Leute auf ein Signal von dem Mädchen gekommen waren, oder ob es tatsächlich Gangster waren. Der heftige Ruck des anfahrenden Wagens beendete einstweilen seine beklommenen Spekulationen.

4

Wissenschaft ist nichts als gesunder Menschenverstand und vernünftiges Urteilen.

Stanislaus Leszcynski,
König von Polen, 1763.

Als die Wagen durch verlassene Straßen nordwärts rasten, sah Gosseyn, daß zwei vorausfuhren und drei folgten. In einem von ihnen mußte Patricia Hardie sein, aber obwohl er angestrengt durch die Windschutzscheibe und in den Rückspiegel spähte, konnte er sie nicht ausmachen. Nicht daß es wichtig für ihn gewesen wäre. Er hatte seine Bewacher gemustert, und der Verdacht, daß dies keine Räuberbande sei, festigte sich.

Er sprach den Mann zu seiner Rechten an. Keine Antwort. Er wandte sich dem Mann an seiner linken Seite zu. Bevor er etwas sagen konnte, erklärte der andere: »Wir sind nicht befugt, mit Ihnen zu sprechen.«

Befugt! So redeten keine Gangster. Gosseyn lehnte sich beträchtlich erleichtert in die Polster. Die Wagen zogen durch eine breite, hell beleuchtete Kurve und rasten in einen Straßentunnel. Minutenlang sah Gosseyn nichts als das rote Ziegelmauerwerk der Tunnelwände, dann schossen die Wagen aus der Tunnelmündung, bogen in eine Ausfahrt und rollten langsamer über einen runden Hof. Vor einer Art Portal hielten sie.

Die Männer kletterten heraus. Gosseyn sah das Mädchen aus dem zweiten Wagen steigen. Sie kam zurück und schaute zu ihm herein.

»Nur damit Sie Bescheid wissen«, sagte sie. »Ich bin Patricia Hardie.«

»Ja«, antwortete Gosseyn, »das weiß ich seit heute nachmittag.«

Ihre Augen blitzten. »Sie Dummkopf«, sagte sie. »Warum sind Sie nicht weggeblieben?«

»Weil ich es wissen muß. Ich muß erfahren, was mit mir ist.« Es mußte etwas in seinem Tonfall gewesen sein, etwas von dem hilflosen und leeren Gefühl eines Mannes, der seine Identität verloren hat.

»Sie armer Irrer«, sagte Patricia Hardie mit etwas weicherer Stimme. »Gerade jetzt, wo sie sich für den entscheidenden Schritt vorbereiten, haben sie in jedem Hotel Spione. Was der Lügendetektor über Sie sagte, wurde sofort gemeldet. Und sie lassen sich auf kein Risiko ein.«

Sie machte eine Pause und betrachtete ihn kopfschüttelnd. »Ihre Hoffnung ist, daß Thorson uninteressiert bleibt. Mein Vater versucht ihn zu überreden, daß er sie verhören soll, aber bisher hat Thorson Sie für unwichtig gehalten.«

Sie wandte sich halb ab, dann beugte sie sich noch einmal zum Fenster. »Es tut mir leid«, sagte sie und ging. Gosseyn sah sie zu einem anderen Eingang gehen und durch eine automatische Tür im Gebäude verschwinden. Nach etwa zehn Minuten kam ein hakennasiger Mann aus dem Portal geschlendert und schaute in den Wagen, wo Gosseyn saß.

Mit unverhohlenem Spott sagte er: »Also das ist der gefährliche Mann!«

Die Idee, daß man ihn für einen gefährlichen Mann halten könnte, war Gosseyn absolut neu. Sie schien nichts mit den Tatsachen zu tun zu haben. Gilbert Gosseyn war ein ausgebildeter Null-A, dessen Gehirn unter einem partiellen Gedächtnisverlust litt. Er mochte sich als Teilnehmer an den Spielen der Reise zur Venus würdig erweisen, aber auch dann würde er nur einer unter Tausenden ähnlich erfolgreicher Mitbewerber sein. Ob tatsächlich ein bemerkenswerter struktureller Unterschied zwischen ihm und anderen menschlichen Wesen bestand, mußte sich erst herausstellen.

»Ah, er schweigt«, stellte der Hakennasige fest. Er war groß und massig gebaut. »Die Null-A-Pause, vermutlich. Aber gleich werden Sie Ihre gegenwärtige mißliche Lage unter der Kontrolle Ihres Kortex integriert haben, und kluge Worte werden ertönen.«

Gosseyn studierte den Mann neugierig. »Ich kann nur vermuten, daß Sie ein Mann sind, der bei den Spielen versagt hat und sie nun verspottet. Sie armer Beschränkter!«

Der große Mann lachte. »Kommen Sie mit!«, sagte er. »Sie werden noch ein paar Schocks erleben. Mein Name ist übrigens Thorson, Jim Thorson.«

»Thorson!« echote Gosseyn, dann verstummte er. Wortlos folgte er dem Mann durch das vornehme Portal in den Palast der Maschine, wo der Präsident und Patricia Hardie lebten. Er begann über die Notwendigkeit eines entschlossenen Fluchtversuchs nachzudenken. Aber noch war es nicht Zeit. Komisch, daß er das so stark fühlte. Über sich selbst etwas zu erfahren, war jetzt wichtiger für ihn als alles andere.

Sie gingen durch einen langen, marmorverkleideten Korridor, der an einer offenen Eichentür endete. Thorson hielt ihm die Tür, wobei ein Lächeln sein langes Gesicht verzog, dann trat auch er ein und schloß die Tür vor den Bewachern, die Gosseyn gefolgt waren.

Im Raum warteten drei Leute, Patricia Hardie und zwei Männer. Von diesen war der eine ein gutaussehender Mann von etwa fünfzig Jahren, der hinter einem Schreibtisch saß. Aber es war der andere, der Gosseyns Aufmerksamkeit gefangennahm.

Er war anscheinend bei einem Unfall verletzt worden und war nun eine zusammengeflickte Monstrosität. Er hatte einen Plastikarm und ein Plastikbein, und sein Rumpf steckte in einem Plastikkorsett. Sein Kopf sah aus, als wäre er aus milchigem Glas gemacht; er war ohrenlos. Zwei menschliche Augen spähten unter einer glasig-glatten Schädelkuppel hervor. Der untere Teil seines Gesichts von den Augen abwärts war intakt. Er hatte ein Gesicht. Nase, Mund, Kinn und Hals waren menschlich. Darüber hinaus hing seine Ähnlichkeit mit einem lebendigen Menschen von den geistigen Konzessionen des jeweiligen Betrachters ab. Gosseyn war im Moment nicht bereit, Konzessionen zu machen. Er hatte sich vorgenommen, unerschrocken aufzutreten. Er sagte: »Was, zum Teufel, ist das?«

Die Kreatur lachte in einem glucksenden Baß. »Betrachten wir mich«, sagte sie, »als die Größe X.«

Gosseyn blickte von X zu Patricia Hardie. Sie begegnete seinen Augen kühl, obwohl die Färbung ihrer Wangen etwas tiefer wurde. Sie hatte sich rasch umgekleidet und trug eine Art Abendkleid, das ihr ein Aussehen gab, wie Teresa Clark es nie gehabt hatte.

Es fiel ihm seltsam schwer, seine Aufmerksamkeit dem anderen Mann zuzuwenden. Die Umorientierung, die notwendigerweise damit verbunden war, Hardie, den Präsidenten der Erde, als einen Verschwörer anzusehen, war eine zu hohe Hürde für seinen Geist, als daß sie leicht zu nehmen gewesen wäre.

Illegale Aktionen wurden vorgenommen. Was man mit ihm gemacht hatte, was Patricia Hardie und Thorson gesagt hatten, mußte etwas bedeuten. Man tat so etwas nicht zum bloßen Zeitvertreib. Selbst die Maschine hatte bevorstehende Unannehmlichkeiten angedeutet. Und sie hatte klargemacht, daß die Familie Hardie darin verwickelt war.

Aus der Nähe gesehen, hatte der Präsident die harten Augen des Ordnungsfanatikers und das Lächeln eines Mannes, der zu vielen Leuten taktvoll und freundlich sein muß. Seine Lippen waren dünn. Der Mann sah wie ein energischer Generaldirektor aus, wachsam, an die Ausübung der Macht gewöhnt. »Gosseyn«, sagte er nun, »wir sind Männer, die zu geringeren Positionen verurteilt gewesen wären, wenn wir das Gesetz der Maschine und die Philosophie des Null-A anerkannt hätten. Wir halten uns für hochintelligent und in jeder Hinsicht fähig, aber uns ist von Natur aus eine gewisse Härte und Rücksichtslosigkeit eigen, die uns unter normalen Umständen vom großen Erfolg ferngehalten hätte. Neunundneunzig Prozent dessen, was als Weltgeschichte verstanden wird, wurde von Männern unserer Art gemacht, und Sie dürfen versichert sein, daß es wieder so wird.«

Gosseyn starrte ihn an. Eine Beklemmung griff nach seinem Herzen, schnürte ihm die Kehle zu. Man erzählte ihm zuviel. Entweder war die Verschwörung im Begriff, in eine neue, öffentliche Phase zu treten, oder die vagen Drohungen, die ihm bereits zuteil geworden waren, hatten die tödlichste Bedeutung.

»Ich sage Ihnen dies«, fuhr Hardie fort, »damit Sie die folgenden Instruktionen so ernst nehmen, wie es angebracht ist. Mehrere Schußwaffen sind auf Sie gerichtet, Gosseyn. Gehen Sie jetzt ohne Aufhebens zu dem Stuhl dort« — er zeigte mit der rechten Hand —, »und lassen Sie sich Handschellen anlegen.« Sein Blick ging an Gosseyn vorbei. »Thorson, bringen Sie die Geräte.«

Gosseyn ließ seine Handgelenke von Thorson an die Armlehnen des Stuhles schließen. Mit Unruhe und Neugier sah er, wie der Mann einen Tisch mit einer Anzahl kleiner, kompliziert aussehender Apparate heranrollte. Thorson befestigte ein Dutzend tassenförmiger Vorrichtungen, die durch Kabel mit den Apparaten verbunden blieben, mit Heftpflasterstreifen an Gosseyns Haut — sechs an Kopf und Gesicht, die anderen an der Kehle, den Schultern und dem oberen Teil seines Rückens.

Gosseyn wurde sich bewußt, daß er nicht der einzige im Raum war, dessen Nerven überreizt waren. Das Mädchen saß zusammengekauert in ihrem Sessel, die Beine angezogen, eine Zigarette zwischen steifen Fingern. Sie paffte automatisch, ohne zu inhalieren.

Während die zwei anderen Männer sichtlich ungeduldig zusahen, hantierte Thorson völlig ruhig mit seinen Apparaten und nahm letzte Einstellungen vor. Schließlich richtete er sich auf und warf Michael Hardie einen fragenden Blick zu. Aber Gosseyn war es, der das Schweigen als erster brach und mit belegter Stimme sagte: »Ich glaube, Sie sollten mich einen Augenblick anhören.«

Er mußte sich räuspern. »Ich komme mir vor wie ein Kind in einem Irrenhaus«, sagte er. »Sie wollen etwas von mir. Sagen

Sie mir um Himmels willen, was es ist, und ich werde mein möglichstes tun.

Natürlich«, fuhr er fort, »schätze ich mein Leben höher ein als jede Tatsache, die Sie möglicherweise aus mir herausquetschen können.«

Der Krüppel, der sich X genannt hatte, gab dem Präsidenten einen amüsierten Blick. »Wissen Sie, diese Sache beginnt mich zu interessieren. Hier ist ein Mann, der weder etwas von seinem Ziel noch von seinem Vorleben weiß, und doch kann sein Auftauchen gerade zu diesem Zeitpunkt nicht zufällig sein. Die Unfähigkeit des Lügendetektors im Hotel, seine wahre Identität aufzudecken, ist ein nie gehörtes Phänomen.«

»Aber er sagt die Wahrheit.« Patricia Hardie schwang ihre Beine vom Sessel und ließ die Hand mit der Zigarette baumeln.

»Der Lügendetektor sagte, daß er sich seiner Identität selber nicht bewußt sei.«

Ein Plastikarm winkte gönnerhaft ab. »Meine liebe Miß Patricia, ich stelle nicht in Frage, daß er das gesagt hat. Aber ich vergesse auch nicht, daß Maschinen korrumpierbar sind. Der brillante Mr. Crang und ich haben das zur Zufriedenheit vieler Männer einschließlich Ihres Vaters bewiesen. Ich glaube nicht, daß wir irgendeine Erklärung, die Mr. Gosseyn macht oder die von gewöhnlichen Gehirntestvorrichtungen über ihn gemacht wird, akzeptieren können.«

Präsident Hardie nickte ernst. »Er hat recht, Pat. Normalerweise würde man einen Mann, der sich fälschlich mit meiner Tochter verheiratet glaubt, dem nächsten Psychiater übergeben. Doch das bloße Auftauchen eines solchen Mannes zu *diesem* Zeitpunkt macht uns gründliche Nachforschungen zur Pflicht. Hinzu kommt das Versagen des Lügendetektors im Hotel. Es ist so anomal, daß sogar Thorson sich für den Fall interessiert. Meine Vermutung geht dahin, daß die Agenten der Galaktischen Liga ihn uns vorgesetzt haben, damit wir ihn in Augenschein nehmen. Nun, das werden wir tun. Was haben Sie vor, Thorson?«

Der große Mann zuckte die Achseln. »Ich will die Gedächtnissperre durchbrechen und herausbringen, wer er ist.«

X sagte: »Ich bin der Meinung, daß die Informationen, die wir auf diesem Wege erhalten, keine allzu große Verbreitung finden sollten. Miß Hardie, bitte verlassen Sie den Raum.«

Das Mädchen warf trotzig den Kopf in den Nacken. »Ich

ziehe es vor zu bleiben. Schließlich habe ich Risiken auf mich genommen.«

Keiner sagte etwas. Der Krüppel sah sie mit Augen an, die, so fand Gosseyn, unerbittlich blieben. Patricia Hardie bewegte sich unbehaglich, blickte wie um Unterstützung bittend zu ihrem Vater. Aber der wich ihrem Blick aus.

Sie stand auf, die Lippen zornig zusammengepreßt. »Hat er dich also auch eingeschüchtert«, sagte sie höhnisch. »Nun, glaube nicht, daß er mir Angst macht. Eines Tages werde ich ihm eine Kugel verpassen, daß kein Chirurg ihn mehr zurechtflicken kann.«

Sie ging und warf die Tür hinter sich zu. Hardie sagte: »Ich glaube, wir brauchen keine Zeit zu verschwenden.«

Niemand machte Einwände. Thorsons rechte Hand lag auf dem Schalter der Stromzuführung. Er drehte den Schalter. Es knackte und summte.

Zuerst geschah nichts. Gosseyn hatte seinen ganzen Körper angespannt, um Energieströmen besser widerstehen zu können. Aber es kamen keine. Er starrte auf die Apparaturen auf dem fahrbaren Tisch, bis seine Augen schmerzten. Ein paar sichtbare Elektronenröhren glühten sanft. Er blinzelte, bis ihm die Augen naß wurden und seine Sicht beeinträchtigt war. Dann riß er seinen Blick mit einiger Anstrengung vom Tisch los. Die Bewegung mußte für seine gespannten Nerven zu plötzlich gewesen sein. In seinem Kopf begann ein singender Ton, und zugleich setzten heftige Kopfschmerzen ein. Mit einem Schreck wurde ihm klar, daß es dies war, was die Maschine ihm antat.

Ihm war, als ob er auf den Grund eines Sees gesunken wäre. Ein schwerer Druck schien von allen Seiten auf ihm zu lasten, sogar von innen her. Wie aus weiter Ferne hörte er Thorsons Stimme.

»Dies ist eine interessante Maschine. Sie erzeugt eine Variation von Nervenenergie. Der Körper nimmt diese Energie durch die Anschlüsse an Gosseyns Kopf und Oberkörper auf, und sie fließt gleichmäßig durch alle Nervenbahnen. Sie müssen es sich als einen Impuls vorstellen, der sofort auf jede geringste Abweichung oder Schwierigkeit reagiert. Er prallt schon von Hindernissen zurück, die nur etwa ein Prozent von dem abweichen, was für ihn normal ist. Das Ganze ist ein großartiges Beispiel für jenes bekannte Gesetz, nach dem Energien den Weg des geringsten Widerstands gehen.«

Es war fast unmöglich, gegen den Klang der Stimme anzudenken. Gosseyns Gehirn konnte keinen vollständigen Gedanken formen. Er wehrte sich gegen die Gewalt der Stimme und gegen die fremde Energie, die ihn durchströmte. Nichts als Bruchstücke von Gedanken tauchten in seinem Bewußtsein auf, zusammenhanglos und bar jeden Sinnes. Und Thorsons Stimme dröhnte.

»Das medizinisch interessanteste Charakteristikum dieses künstlich erzeugten Stroms von Nervenenergie ist, daß er sich fotografieren läßt. In wenigen Augenblicken werde ich diesem Gerät hier mehrere Negative entnehmen und Diapositive davon machen. In der Vergrößerung durch einen Projektor werden diese Diapositive uns zeigen, in welchen Teilen seines Gehirns das Erinnerungsvermögen konzentriert ist. Daraufhin können wir entscheiden, wo wir die Einwirkung ansetzen müssen, um die gewünschte Erinnerung auf verbale Ebene zu zwingen. Auch das macht diese Anlage, zum einen durch verstärkten Energieausstoß, zum anderen durch ein Zusatzgerät, das mit einem komplizierten Wort-Assoziationssystem programmiert ist.« Er schaltete die Maschine aus und zog eine Filmkassette aus dem Kamerateil. Er sagte: »Behalten Sie ihn im Auge«, und verschwand durch die nächste Tür.

Der Rat erwies sich als überflüssig. Gosseyn hätte nicht sicher auf seinen Füßen stehen können. Er hatte die Illusion, sich gleich einem Kreisel zu drehen. Wie ein Kind, das sich zu oft um seine Achse gedreht hat, brauchte er Zeit, um das Schwindelgefühl abklingen zu lassen. Noch bevor er geradeaus sehen konnte, war Thorson zurück.

Er ging langsam näher und blieb vor Gosseyn stehen. Er hatte zwei Papierabzüge in der Hand und starrte seinen Gefangenen an.

»Was haben Sie festgestellt?« fragte Hardie.

Thorson winkte ab. Es war eine bemerkenswert unhöfliche Geste, und was noch mehr war, Thorson schien es gar nicht zu merken. Er stand da, und plötzlich war seine Persönlichkeit nicht bloß die eines weiteren anwesenden Individuums. Er hatte sie zurückgehalten. Unter dem kalten Äußeren war eine Glut nervöser Energie, ein überaus willensstarker Geist. Gosseyn sah, daß sein Benehmen nicht das eines Untergebenen war. Es war das eines Befehlshabers, selbstsicher, in seinen Entscheidungen endgültig und unwiderruflich. Wenn er mit den anderen übereinstimmte, geschah es, weil er so wollte.

X kam heran und nahm Thorson die Abzüge aus der Hand. Einen reichte er Hardie. Die beiden Männer betrachteten die Bilder mit völlig verschiedenen Emotionen.

X sprang halb aus seinem Sessel auf. Die heftige Bewegung enthüllte verschiedene Einzelheiten seines halb künstlichen Körpers. Er war größer, als Gosseyn angenommen hatte, ungefähr einen Meter siebzig. Die Bewegung zeigte, wie sein Plastikarm an dem Plastikkorsett befestigt war, das Brustkorb und Leib umhüllte. Sie zeigte, daß sein Gesicht erschrocken aussehen konnte. »Gut, daß wir ihn nicht zu diesem Psychiater gelassen haben«, flüsterte er heiser. »Wir haben noch rechtzeitig zugegriffen.«

Michael Hardie sah irritiert aus. »Was reden Sie da? Vergessen Sie nicht, daß ich meine gegenwärtige Position nur Ihrer Fähigkeit verdanke, die Spiele der Maschine zu kontrollieren. Ich könnte all dieses Null-A-Zeug über das menschliche Gehirn nie in meinen Kopf hineinbringen, und ich will es auch nicht. Ich sehe hier nur einen hellen Kern. Ich vermute, daß es sich um die Linien der Nervenströme handelt, und daß sie in der Vergrößerung auf einem Bildschirm einzeln sichtbar werden.«

Thorson ging zu ihm, zeigte ihm etwas auf dem Abzug und flüsterte eine Erläuterung, die langsam alle Farbe aus Hardies Gesicht weichen ließ.

»Wir werden ihn töten müssen«, sagte er. »Sofort.«

Thorson schüttelte den Kopf. »Wozu? Was kann er tun? Die Welt warnen?« Er zeigte wieder auf den Abzug. »Sehen Sie nicht, daß in der Nähe davon keine Energielinien verlaufen?«

Hardie starrte zweifelnd auf die Fotografie. »Angenommen, er bringt heraus, wie er es gebrauchen kann?«

»Das würde Monate dauern«, schaltete sich X ein. »Wenn Sie einen steifen kleinen Finger haben, können Sie nicht einmal den in vierundzwanzig Stunden gelenkig machen.«

Es folgte eine geflüsterte Unterhaltung, auf die Thorson zuletzt ärgerlich erwiderte: »Sie können doch nicht im Ernst glauben, daß er aus diesem Verlies entkommen wird. Oder haben Sie aristotelische Romane gelesen, wo der Held immer gewinnt?«

Es gab keinen Zweifel, wer von den drei Männern seinen Willen durchsetzen würde. Wachen kamen und trugen Gosseyn mit Stuhl und Handschellen vier Geschosse tiefer in ein Stahlverlies. Die letzte Treppenflucht führte direkt in die Stahlkammer, und als die Männer wieder hinaufgestiegen waren, hob ein Motor die ganze Treppe durch eine Öffnung in der Decke, sechs oder sieben Meter über ihm. Eine stählerne Falltür verschloß das Loch, und schwere Riegel wurden vorgeschoben. Dann blieb es still.

5

Gosseyn saß unbeweglich auf dem Stuhl. Sein Herz hämmerte, in seinen Schläfen pochte das Blut, und alle paar Minuten fühlte er Wellen von Schwäche und Übelkeit über sich hinweggehen. Schweiß troff ihm in Strömen vom Körper.

»Ich habe Angst«, sagte er leise zu sich selbst. »Ich bin so gut wie tot. Ich werde sterben.«

An der Decke strahlte ein helles Licht auf. Minuten vergingen, dann schob sich die Treppe wieder herunter. Arbeiter stiegen vorsichtig abwärts, einen Tisch schleppend. In rascher Folge wurden die Apparate, die bereits an Gosseyn ausprobiert worden waren, heruntergeschafft und auf den Tisch montiert. Mehrere andere Maschinen folgten, dann zogen die Arbeiter sich zurück.

Zwei hartgesichtige Männer, offenbar der Palastwache zugehörig, kamen langsam herabgestiegen. Sie untersuchten Gosseyns Handgelenke und überprüften die Fesseln. Dann gingen auch sie, und es wurde wieder still.

Nach längerer Zeit wurde die Falltür erneut geöffnet. Gosseyn schrak zusammen, weil er Thorson erwartete, aber es war Patricia Hardie, die die Metallstufen herunterlief. Beim Aufschließen der Handschellen sagte sie leise und atemlos: »Oben gehen Sie nach rechts durch den Korridor. Nach dreißig Metern kommen Sie zur Haupttreppe, unter der Sie eine Tür sehen werden. Hinter dieser Tür ist eine zweite, schmalere Treppe. Die gehen Sie hinauf, dann kommen Sie zwei Etagen weiter oben direkt neben meinen Räumen heraus. Vielleicht können Sie sich dort verstecken. Ob es sicher ist, weiß ich nicht. Von diesem Augenblick an sind Sie auf sich selbst gestellt. Viel Glück.«

Kaum hatte sie ihn befreit, da raste sie schon wieder die Treppe hinauf. Gosseyns Muskeln waren so verkrampft, daß er bei jedem Schritt strauchelte. Aber ihre Richtungsangaben stimmten, und als er das Schlafzimmer des Mädchens erreichte, war seine Blutzirkulation wieder normal.

Ein leichter Parfümgeruch hing in der Luft. Von den hohen, bis zum Boden reichenden Fenstern aus sah Gosseyn das atomare Leuchtfeuer auf der Spitze der Maschine.

Er teilte Patricia Hardies Hoffnung, daß er in ihrem Schlafzimmer sicher sei, keinen Augenblick. Es war ihm klar, daß jetzt, noch bevor man seine Flucht entdeckt hatte, der beste Augenblick war. Er öffnete die Balkontür und zog sich hastig zurück, als fünf Männer mit umgehängten Maschinenpistolen im Gänsemarsch unter dem Balkon vorbeigingen. Als er einen Moment später wieder hinausspähte, kauerten zwei von ihnen hinter einer Hecke, kaum fünfzig Meter entfernt.

Gosseyn zog sich ins Schlafzimmer zurück. Es dauerte nicht länger als eine Minute, um in die vier Räume zu schauen, aus denen die Wohnung des Mädchens bestand. Er wählte den Ankleideraum als günstigsten Ort. Er hatte ein Fenster und einen kleinen Balkon, der auf eine Gebäudenische hinausging und von den Bewachern vor der Längsseite des Palastes nicht eingesehen werden konnte. Schlimmstenfalls würde er sich hier hinunterschwingen und von Busch zu Busch laufen. Er ließ sich schwer auf eine Bank vor dem großen Ankleidespiegel fallen und dachte über Patricia Hardies Aktion nach.

Sie hatte ein großes Risiko auf sich genommen. Der Grund dafür blieb ihm verborgen, aber es erschien möglich, daß sie ihre Teilnahme an dem Komplott gegen ihn bereute.

Der Gedanke endete, als die Tür eines der Nebenräume leise geöffnet wurde. Gosseyn stand auf und schob sich zur Balkontür. Aber es war das Mädchen; einen Augenblick später kam ihre Stimme leise aus dem Nebenraum: »Sind Sie dort drinnen, Mr. Gosseyn?«

Gosseyn sperrte wortlos die Tür auf, und sie standen einander auf der Schwelle gegenüber.

»Was haben Sie vor?« fragte das Mädchen nach einer Weile.

»Ich sehe zu, daß ich zur Maschine komme.«

»Warum?«

Gosseyn zögerte. Patricia Hardie hatte ihm geholfen, und sie verdiente sein Vertrauen. Aber er durfte nicht vergessen, daß sie eine Neurotikerin war, die wahrscheinlich impulsiv gehandelt hatte. Möglicherweise hatte sie die Tragweite ihres Tuns noch nicht begriffen. Er sah, daß sie grimmig lächelte.

»Seien Sie nicht albern«, sagte sie. »Bilden Sie sich nicht ein, Sie könnten die Welt retten. Sie können überhaupt nichts machen. Diese Verschwörung ist größer als die Erde, größer als das Sonnensystem. Wir sind nur die Bauern in einem Schachspiel, das Menschen von den Sternen spielen.«

Gosseyn starrte sie an. »Sind Sie verrückt?« sagte er, dann schloß er den Mund. Er entsann sich eines Wortes, das Hardie gebraucht hatte: ›galaktisch‹.

»Menschen?« fragte er.

Das Mädchen nickte. »Aber fragen Sie mich nicht, wie diese Menschen auf die Erde gekommen sind. Aber wie dem auch sein mag, ich bin froh, daß es Menschen sind, und nicht fremdartige Monstren. Ich versichere Ihnen, die Maschine kann gar nichts machen.«

»Sie könnte mich schützen.«

Sie dachte darüber nach, dann sagte sie langsam: »Das wäre möglich.« Ihre hellen Augen studierten ihn. »Ich verstehe nicht, was Sie mit der Sache zu tun haben. Was haben mein Vater und die beiden anderen an Ihnen entdeckt?«

Gosseyn wiederholte mit dürren Worten, was er gehört hatte, dann fügte er zögernd hinzu: »Da muß etwas mit meinem Gehirn sein. Auch die Maschine gab mir den Rat, meinen Kortex fotografieren zu lassen.«

Patricia Hardie schwieg eine Weile. »Bei Gott«, meinte sie endlich, »vielleicht haben sie Gründe, sich vor Ihnen zu fürchten.« Sie brach ab und wandte den Kopf. »Sch-sch, jemand ist an der äußeren Tür.«

Gosseyn blickte schnell aus dem Fenster. »Nein, gehen Sie noch nicht«, sagte das Mädchen hastig. »Schließen Sie die Tür hinter mir und gehen Sie erst, wenn es eine Durchsuchung gibt.«

Er hörte ihre Schritte sich entfernen. Als sie zurückkamen, waren sie von den schweren eines Mannes begleitet. Eine klingende Tenorstimme sagte: »Ich wünschte, ich hätte den Mann gesehen. Warum hast du mir nicht gesagt, was du vorhattest? Selbst Thorson hat jetzt Angst.«

Das Mädchen war ruhig. »Wie sollte ich wissen, daß er anders ist, Eldred? Ich sprach mit einem Mann, der keine Erinnerung an seine Vergangenheit hatte, und das war alles.«

Eldred, dachte Gosseyn. Den Namen mußte er sich merken.

»Wenn mir das jemand anders sagte, Pat, würde ich es glauben«, sagte der Mann. »Aber ich habe immer das Gefühl, daß du dein eigenes Spiel spielst. Nimm dich in acht. Sei nicht zu schlau.«

Sie lachte. »Mein Lieber«, antwortete sie, »wenn Thorson herausfände, daß Eldred Crang, Kommandant des galaktischen Stützpunktes, und sein Stellvertreter John Prescott beide zu Null-A's konvertiert sind, könntest du vielleicht mit Grund von einem privaten Spiel sprechen.«

Die Männerstimme klang erschrocken, gedämpft. »Pat, bist du verrückt, das zu erwähnen? Aber weil du schon davon anfängst, ich wollte dich warnen. Ich vertraue Prescott nicht mehr uneingeschränkt. Seit Thorsons Ankunft dreht und windet er sich. Glücklicherweise habe ich ihm nie etwas über meine Einstellung zur Null-A-Philosophie gesagt.«

Das Mädchen gab eine Antwort, die Gosseyn unverständlich blieb. Es wurde still. Schließlich kam das unmißverständliche Geräusch eines Kusses und ihre Stimme. »Geht Prescott mit dir?«

Gosseyn zitterte. Lächerlich, dachte er wütend. Ich war nie mit ihr verheiratet. Ich darf mich nicht von einem falschen Glauben in Verwirrung bringen lassen. Aber das Gefühl war da. Der Kuß schockierte ihn. Das Gefühl mochte falsch sein, aber es würde mehr als einer Null-A-Therapie bedürfen, um seine Macht zu brechen.

Jemand läutete an der äußeren Tür. Gosseyn hörte den Mann und das Mädchen in den Wohnraum hinübergehen. Die Tür wurde geöffnet, und ein Mann sagte: »Miß Patricia, wir haben Befehl, diese Wohnung nach einem flüchtigen Gefangenen zu durchsuchen — oh — entschuldigen Sie, Mr. Crang. Ich hatte Sie eben nicht gesehen.«

»Schon gut.« Das war die Stimme des Mannes, der Patricia geküßt hatte. »Machen Sie Ihre Durchsuchung, und dann gehen Sie.«

»Jawohl, Sir.«

Gosseyn wartete nicht länger. Der Balkon war nicht zu hoch über dem Erdboden. Er erreichte den Grund ohne Zwischenfall und kroch auf Händen und Knien weiter. Die ersten hundert Meter war er keinen Augenblick ohne die Deckung eines Baumes oder Strauches.

Er war nur noch fünfzig Meter vom Fuß der Maschine entfernt, als zehn oder zwölf Wagen hinter einer Baumreihe herauskurvten, wo sie gewartet hatten, und das Feuer auf ihn eröffneten. Gosseyn stieß einen wilden, an die Maschine gerichteten Ruf aus:

»Hilf mir!«

Riesengroß und kalt ragte die Maschine vor ihm in den Himmel. Wenn es stimmte, was Legenden sagten, daß sie sich und ihre Umgebung verteidigen konnte, dann gab es hier offenbar keinen Grund zum Eingreifen.

Gosseyn rannte gebückt auf eine niedrige Hecke zu, als die erste Kugel ihr Ziel fand. Sie traf eine Schulter und warf ihn in die Bahn eines sengenden Energiestrahls. Seine Kleider waren sofort in Flammen gehüllt. Dann rollte er über den Rasen, und die Maschinengewehre und -pistolen richteten sich wieder auf ihn. Ihre Geschosse begannen seinen brennenden Körper zu zerfetzen.

Das Unerträgliche war, daß er bei Bewußtsein blieb. Er spürte das fressende Feuer und die Kugeln, die seinen zuckenden Leib durchbohrten. Sein letzter Gedanke war die unendlich traurige, hoffnungslose Erkenntnis, daß er nun niemals mehr die Venus und ihre Geheimnisse sehen würde.

Dann kam der Tod.

6

Ein seltsames dumpfes Geräusch drang in Gosseyns Bewußtsein. Es schien von oben zu kommen und wurde rasch lauter und anhaltend, wie der Lärm vieler ferner Maschinen.

Gosseyn öffnete die Augen. Er lag im Halbdunkel neben dem Stamm eines gigantischen Baumes. Er konnte zwei weitere Stämme sehen, undeutlich im trüben Licht, aber ihre Größe war so unwahrscheinlich, daß er die Augen wieder schloß, still auf dem Rücken liegenblieb und lauschte.

Er fühlte den Grund unter seinem Körper. Er hatte keine visuelle Vorstellung, aber allmählich breitete sich in seinem Geist der Eindruck aus, daß er auf dem Boden der Venus liege.

Der langsame Fluß seiner Gedanken wechselte die Richtung. Venus! Aber er war nicht auf der Venus. Er war auf der Erde. In einem abgelegeneren Teil seines Geistes wurde Erinnerung wach. Das Rinnsal der Impulsströme wurde zu einem breiten und dunklen Fluß, der einem großen Meer entgegenströmte.

»Ich bin gestorben«, sagte er sich. »Ich wurde von Kugeln durchsiebt und verbrannt.«

Er krümmte sich in der Erinnerung an gräßliche Schmerzen. Hart preßte er seinen Körper gegen den Boden. Dann griff sein Bewußtsein langsam und tastend um sich. Die Tatsache, daß er mit der Erinnerung an einen gewaltsamen Tod lebte, wurde weniger eine Sache erinnerter Agonie und mehr ein Rätsel, ein Paradoxon, für das es in der Null-A-Welt keine Erklärung gab.

Die Angst vor erneuerten Qualen verblaßte mit dem Verstreichen ereignisloser Minuten. In dieser merkwürdigen halb bewußten Welt, in der er sich momentan befand, begann sein Denken sich auf verschiedene Aspekte seiner Lage zu konzentrieren.

Er erinnerte sich an Patricia Hardie und ihren Vater. Er erinnerte sich an X und an den undurchdringlichen Thorson, und daß es eine Verschwörung gegen Null-A gab.

Die Erinnerung hatte einen gewaltigen, rein physischen Effekt. Er setzte sich auf. Er öffnete die Augen und sah sich vom gleichen Halbdunkel umgeben wie zuvor; es war also kein Traum gewesen.

Wieder sah er die zyklopischen Bäume. Diesmal nahm er sie für das, was sie waren. Sie mußten ihm das instinktive Gefühl eingegeben haben, daß er sich auf der Venus befinde.

Er war tatsächlich auf der Venus.

Gosseyn stand auf und befühlte seinen Körper. Alles schien in Ordnung zu sein. Da waren keine Narben, kein Gefühl, verwundet oder irgendwie behindert zu sein. Sein Körper war ganz. Er befand sich in bester Gesundheit.

Er trug kurze Hosen, ein offenes Hemd und Sandalen. Das erstaunte ihn momentan. Zuletzt hatte er einen Anzug mit langen Hosen getragen, die dezente, nüchterne Kleidung eines Teilnehmers an den Spielen. Dann zuckte er die Achseln. Es spielte keine Rolle. Nichts spielte eine Rolle, außer einem: Wer immer seinen demolierten Körper repariert hatte, mußte ihn zu einem bestimmten Zweck hierher in diesen gargantuesken Wald gesetzt haben.

Die Stämme der drei Bäume in seinem Gesichtsfeld waren dick wie Wolkenkratzer. Ihm fiel ein, daß die berühmten venusianischen Bäume den Ruf genossen, bis tausend Meter hoch zu wachsen. Er blickte auf, aber das Blätterdach war undurchdringlich. Wie er dastand und nach oben blickte, wurde ihm klar, daß das Geräusch, von dem er geweckt worden war, aufgehört hatte.

Er schüttelte verdutzt seinen Kopf und wollte sich abwenden, als es über ihm rauschte. Ein Wasserguß wie aus einem Eimer überschüttete ihn.

Dieser erste Guß war wie ein Signal. Überall ringsum platschte das Wasser herunter, und zwei weitere Male geriet er unter plötzliche Wasserstürze.

Es hatte geregnet. Mächtige Blätter hatten das Regenwasser in ihren breiten, aufgebogenen Schüsseln gesammelt. Aber hier und dort wurde die Last zu schwer, und die Blätter gaben nach, so daß ihr Inhalt sich in die Tiefe ergoß, wo er von anderen Blättern aufgefangen wurde. Dieser Prozeß mußte weitergegangen sein, bis ein kleiner Teil der ungeheuren Wassermassen endlich den Erdboden erreichte. Der Regen mußte kolossale Ausmaße gehabt haben. Gosseyn schätzte sich glücklich, daß er in einem Wald war, dessen Blätter beinahe einen Fluß aufnehmen konnten.

Er ging ein Stück um den Stamm des nächsten Baumes, bis er im trüben Halbdunkel nicht weit voraus eine etwas größere Helligkeit zu unterscheiden glaubte. Er ging darauf zu, und nach zwei Minuten kam er an den Rand einer Wiese. Vor ihm breitete sich ein Tal aus. Zu seiner Linken konnte er einen großen, schlammig verfärbten Fluß sehen. Zu seiner Rechten, wie ein Schwalbennest am Rand eines steil abfallenden Hügels klebend und fast versteckt unter riesigen blühenden Büschen und Sträuchern, war ein Gebäude.

Ein venusianisches Haus! Verträumt lag es in seine grüne Umgebung eingebettet. Es schien aus Stein gemauert zu sein, aber wichtiger war für Gosseyn, daß es von seinem Standort bis hin zu den Mauern schützende Büsche und Stauden gab, die ihm eine ungesehene Annäherung gestatteten. Dieses isolierte Haus mußte der Grund sein, daß er ausgerechnet in diesem Teil des Waldes erwacht war.

Das Buschgelände enttäuschte seine Erwartungen nicht. Kein einzigesmal mußte er offenes Gelände überqueren. Er erreichte einen in purpurnen Blüten flammenden Busch und beobachtete aus seiner Deckung die Steintreppe, die durch den terrassierten Garten zur Veranda des Hauses hinaufführte. In die unterste

Stufe waren Worte eingemeißelt, so klar und groß, daß er sie ohne Mühe lesen konnte:

JOHN UND AMELIA PRESCOTT

Gosseyn wich instinktiv zurück. Prescott. Er hatte den Namen schon einmal gehört. Patricia Hardie und Eldred Crang hatten von einem Mann dieses Namens gesprochen. Danach war Prescott Vizekommandant des lokalen galaktischen Stützpunkts, ein Mann, dem Crang nicht recht traute.

Das war es. Gosseyn wußte, wer in dem Haus wohnte. John Prescott, der die Null-A-Philosophie intellektuell angenommen, sie aber noch nicht zu seinem integralen Bestandteil seines Nervensystems gemacht hatte. Und so schwankte er in der Krise unschlüssig zwischen den Seiten.

Gosseyn ließ die Treppe rechts und stieg vorsichtig über die schlammigen Terrassen des Gartens aufwärts. Der Regen hatte aufgehört, aber das Wasser troff von den Büschen, rann über die brusthohen Bruchsteinmauern der Terrassen und durchweichte den Boden wie einen Schwamm. Gosseyns Stimmung wurde mit jedem Schritt grimmiger. Man hatte ihn brutal und erbarmungslos behandelt, und nun würde auch er nicht lange fackeln. Er brauchte Informationen. Über sich selbst und über die Dinge, die er auf der Venus wissen mußte, wenn er sich durchschlagen wollte. Er würde sie sich verschaffen.

Als er sich dem Haus näherte, hörte Gosseyn die Altstimme einer Frau. Er kauerte sich hinter ein blühendes Staudengewächs fünf Meter vor der Veranda und spähte vorsichtig durch die Zweige.

Ein Mann mit blondem Haar saß vor der offenen Tür auf den Verandastufen und besprach das Tonband eines kleinen Aufnahmegeräts. Während Gosseyn ihn beobachtete, erschien die Frau im Eingang und setzte ein offenbar schon eine Weile andauerndes Gespräch fort.

»Ich werde schon zurechtkommen. Patienten sind erst für übermorgen angemeldet. Ich will nicht ständig kritisieren, John, aber du bist so oft fort, daß ich mich kaum noch verheiratet fühle. Es ist noch nicht einen Monat her, seit du von der Erde zurückgekommen bist, und schon willst du wieder weg. Wer weiß, wie lange du diesmal ausbleibst.«

Der Mann zuckte mit der Schulter und erwiderte, ohne von seinem Gerät aufzublicken: »Ich bin eben ein ruheloser Typ,

Amelia. Du weißt, daß ich einen hohen Energieindex habe. Bis diese Stimmung vergeht, muß ich entweder unterwegs sein oder alberne Frustrationsgefühle heranzüchten.«

Gosseyn wartete. Die Unterhaltung schien zu Ende zu sein. Die Frau blieb noch einen Moment stehen, dann kehrte sie ins Haus zurück. Der Mann blieb mehrere Minuten länger auf den Stufen sitzen, stand dann auf, reckte sich und gähnte. Er war mittelgroß, aber kräftig gebaut, einer von jenen Männern, deren Wendigkeit und Stärke gern unterschätzt wird.

Gosseyns Entschluß stand fest. Die Frau hatte den Mann John genannt. Und an diesem und dem nächsten Tag waren keine Patienten fällig. Dies war John Prescott, galaktischer Agent, der sich als Arzt maskierte.

Die Feststellung der Frau, daß seit Prescotts Rückkehr von der Erde kaum ein Monat vergangen sei, war für Gosseyn bestürzend. Patricia Hardie hatte Crang gefragt, ob Prescott mit ihm gehe. Damit mußte die Reise zur Venus gemeint gewesen sein, denn hier war er. Aber die Kürze der verstrichenen Zeitspanne war verwirrend. Hatte sein Körper nur ein paar Wochen gebraucht, um sich von seinen furchtbaren Verletzungen zu erholen? Oder hatte Prescott inzwischen mehrere Reisen zur Erde gemacht?

Im Moment, so dachte er, spielte das keine Rolle. Worauf es jetzt ankam, war, daß er die Gelegenheit nützte. Er mußte sofort angreifen, solange Prescott nichtsahnend auf der Terrasse seines Hauses stand.

Jetzt!

Der aufgeweichte Boden verlangsamte Gosseyns Vorwärtsstürmen. Prescott hatte Zeit, sich umzudrehen, seinen Angreifer zu sehen und Mund und Augen aufzureißen. Er brachte es sogar fertig, den ersten Schlag zu landen. Aber Gosseyns ganzes Körpergewicht war hinter seiner Faust, als er sie dem Mann wie einen Pfahl in die Magengrube rammte. Prescott klappte mit einem Grunzlaut zusammen, und Gosseyn hielt ihn fest und schlug ihm noch dreimal gegen das Kinn.

Eilig trug er den Bewußtlosen zur Verandatür und lauschte. Die Frau könnte etwas gehört haben und herauskommen, um nach dem Rechten zu sehen. Aber es blieb still. Prescott begann sich zu regen und stöhnte leise. Gosseyn brachte ihn mit einem weiteren Faustschlag zum Schweigen, nahm den schlaffen Körper über die Schulter und trat ein.

Er befand sich in einem sehr großen Wohnraum, der keine Rückwand hatte und sich auf eine breite Terrasse öffnete. Dahinter war ein Garten und dann etwas, das wie ein weiteres, unter Dunst und Nebel verborgenes Tal aussah.

Rechts führte eine Treppe ins Obergeschoß, links eine in den Keller. Türen in beiden Seitenwänden verbanden den Wohnraum mit anderen Zimmern. Eine dieser Türen war angelehnt, und Gosseyn hörte das Klappern und Zischen einer Bratpfanne. Der verlockende Duft von Essen stieg ihm in die Nase.

Er nahm die Treppe zum Obergeschoß und gelangte in einen Korridor mit zahlreichen Türen. Er stieß die erstbeste auf und kam in ein geräumiges Schlafzimmer, dessen großes, gebogenes Fenster den Blick auf einen Teil des zyklopischen Bergwaldes freigab. Er legte Prescott auf den Boden, riß ein Bettlaken in Streifen und band und knebelte den Bewußtlosen.

Auf Zehenspitzen ging er die Treppe wieder hinunter und in den Wohnraum. Das unverändert andauernde Geklapper der Küchenutensilien beruhigte seine gespannten Nerven. Offenbar hatte die Frau nichts gehört. Er überlegte kurz, dann durchquerte er den Raum und stieß die Küchentür auf.

Die Frau richtete eben das Essen an. Gosseyn sah flüchtig einen hübsch gedeckten Tisch in einem Alkoven, und dann sah die Frau ihn aus den Augenwinkeln. Sie wandte erstaunt den Kopf nach ihm um, blickte von seiner durchnäßten Kleidung zu den lehmig verschmierten Füßen herab und schlug eine Hand vor den Mund. »Mein Gott!« hauchte sie.

Sie stellte das Tablett ab und wollte sich ihm zuwenden, aber da war Gosseyn schon bei ihr. Sein Faustschlag traf ihre Schläfe, und sie sackte lautlos über ihre Anrichte. Er fing sie auf. Vielleicht war sie unschuldig und wußte nichts von der Tätigkeit ihres Mannes, aber es wäre zu gefährlich, sich auf einen Kampf mit ihr einzulassen. Zu leicht könnte sie irgendeine verborgene Alarmanlage auslösen.

Als er sie die Treppe hinauftrug, begann sie sich in seinen Armen zu winden und zu zappeln, aber bevor sie das Bewußtsein ganz zurückgewonnen hatte, lag sie schon gefesselt und geknebelt neben ihrem Mann. Er ließ sie am Boden liegen und machte sich auf, das Haus zu erforschen. Solange er sich nicht vergewissert hatte, daß niemand sonst in der Nähe war, konnte er seines Sieges nicht sicher ein.

7

Um als wissenschaftliche Kenntnis annehmbar zu sein, muß eine Wahrheit Schlußfolgerung anderer Wahrheiten sein.

Aristoteles, *Die nichomachische Ethik,* ca. 340 v. Chr.

Es schien ein Krankenhaus zu sein. Gosseyn zählte fünfzehn vollständig ausgerüstete Krankenzimmer. Im Kellergeschoß waren ein Operationsraum und ein Laboratorium. Gosseyn eilte von einem Raum zum anderen. Als er sich endlich überzeugt hatte, daß außer den beiden Prescotts niemand im Haus war, begann er mit einer sorgfältigeren Durchsuchung der Räume.

Er fühlte sich irgendwie unbefriedigt. Dies alles war zu leicht gegangen. Nachdem er verschiedene Schränke geöffnet und Schubladen durchwühlt hatte, beschloß er, daß es am besten sei, wenn er sich die notwendigen Informationen verschaffte und sich dann aus dem Staub machte. Je eher er das Haus verließ, desto geringer war die Chance, daß jemand auftauchte und ihn womöglich überraschte.

Trotz aller Wühlerei fand er keine Waffe. Die Enttäuschung darüber verschärfte sein Gefühl, daß von außen Gefahr drohte. Zuletzt lief er hastig auf die Veranda vor dem Haus, dann auf die Terrasse an der Rückseite. Ein rascher Rundblick, so dachte er, um zu sehen, ob jemand käme. Und dann die Fragen.

Es gab so viele Fragen.

Es war die Aussicht von der Terrasse, die ihn zurückhielt; nun wurde ihm klar, warum er das Tal jenseits des Gartens nicht hatte sehen können. Vom Rand der Terrasse blickte er hinunter in den graublauen Dunst ferner Tiefen. Der Hügel, auf dem die Klinik stand, war tatsächlich kein Hügel, sondern der Nebengipfel eines Berges. Er konnte sehen, wo die Hänge sich abflachten. Dort unten waren Wälder, so weit das Auge reichte. Andere Berge konnte er in dieser Richtung nicht sehen.

Aber das war nicht wichtig. Was ihm jetzt ziemlich klar erschien, war, daß dieses Gebäude nur von der Luft aus zugänglich war. Gewiß, wenn jemand kam, konnte er einen oder zwei Kilometer entfernt landen, wie es bei ihm geschehen sein mußte. Aber die Annäherung aus der Luft war ein notwendiger Schritt in dem Prozeß.

Bei eingehenderer Überlegung war es nicht sonderlich ermutigend. In einer Minute konnte der Himmel noch leer sein. In der nächsten konnte eine mit Bandenmitgliedern beladene Maschine hier auf der Terrasse niedergehen.

Gosseyn holte tief Atem. Die Luft war noch frisch vom Regen, aber mild und keineswges schwül. Es war unmöglich zu sagen, was für eine Tageszeit es war; die Sonne blieb unsichtbar. Die dichte, hochreichende Atmosphäre war mit Wolken erfüllt, deren Konturen im Dunst verschwammen. Eine so vollkommene Stille lag über der Landschaft, daß man sie fühlen konnte — aber sie hatte nichts Beängstigendes. Bei aller Großartigkeit und Erhabenheit herrschte hier ein Friede, dem nichts gleichkam, was er bislang erlebt hatte. Er fühlte sich wie in einer zeitlosen Welt.

Die Stimmung verflog schneller, als sie gekommen war. Für ihn war Zeit wichtig. Was er in der kürzest möglichen Zeitspanne in Erfahrung zu bringen hatte, konnte über das Schicksal des Sonnensystems entscheiden. Mit einem letzten Blick suchte er den leeren Himmel ab, dann kehrte er ins Haus zurück und ging zu seinen Gefangenen. Seine Anwesenheit hier blieb ein ungelöstes Geheimnis, aber durch diese Leute glaubte er eine wenigstens teilweise Kontrolle über seine Lage erlangen zu können.

Der Mann und die Frau lagen, wie er sie zurückgelassen hatte. Sie waren beide bei Bewußtsein und beobachteten ihn angstvoll. Er hatte nicht vor, ihnen etwas zuleide zu tun, aber es konnte nicht schaden, wenn er sie ein bißchen zittern ließ. Nachdenklich blickte er auf sie hinunter. Nun, da er Zeit hatte, sich auf sie zu konzentrieren, sah er sie zum erstenmal.

Amelia Prescott war schlank, dunkelhaarig, eine reife Frau, die noch immer gut aussah. Sie trug eine leichte Bluse, kurze Hosen und Sandalen. Als Gosseyn ihr den Knebel aus dem Mund zog, waren ihre ersten Worte: »Junger Mann, ich hoffe, es ist Ihnen klar, daß ich ein Essen auf dem Herd habe.«

»Essen?« sagte Gosseyn unwillkürlich. »Mittag- oder Abendessen?«

Sie sah ihn verdutzt an, antwortete jedoch nicht. »Wer sind Sie?« fragte sie statt dessen. »Was wollen Sie?«

Die Fragen erinnerten Gosseyn auf eine unangenehme Weise daran, daß er im Grunde nicht mehr über sich wußte als sie. Er kniete sich neben ihren Mann. Beim Entfernen des Knebels studierte er Prescotts Gesicht. Aus der Nähe gesehen, deutete das Antlitz auf eine stärkere Persönlichkeit hin, als er vermutet hatte. Nur feste Überzeugungen konnten dieses Gesicht geformt haben. Die Frage war nur, ob diese Überzeugungen im Null-A wurzelten.

Er erwartete von Prescotts Kommentar zu seiner wenig beneidenswerten Lage Aufschluß über den Charakter des Mannes. Aber er wurde enttäuscht. Prescott starrte ihm ins Gesicht, mehr nachdenklich als erbost. Und er sagte nichts.

Gosseyn wendete sich wieder an die Frau. »Wenn ich einen Mietflugzeugdienst anrufe«, sagte er, »was muß ich dann sagen, um eine Maschine zu bekommen?«

»Daß Sie eine Maschine wollen, natürlich.« Sie gab ihm einen forschenden Blick. »Ich glaube, ich beginne zu verstehen«, sagte sie langsam. »Sie sind illegal auf der Venus und kennen sich mit dem Leben hier nicht aus.«

Gosseyn zögerte. »So ungefähr«, gab er schließlich zu. »Ich brauche keine Registriernummer oder etwas Ähnliches anzugeben?«

»Nein.«

»Ich wähle einfach die Nummer und sage, daß ich eine Maschine will? Muß ich ihnen sagen, wohin sie sie schicken sollen?«

»Nein. Alle öffentlichen Robomaschinen sind mit dem Fernsprechnetz verbunden. Das geht alles automatisch. Wenn man bestellt hat, drückt man auf den grünen Knopf am Videophon, und der Apparat sendet ein Signal aus, an dem der Autopilot der betreffenden Maschine sich orientiert.«

»Sonst ist absolut nichts zu tun?«

»Nein. Nichts.«

Gosseyn hatte den Eindruck, daß ihre Antworten zu bereitwillig gegeben wurden. Er erinnerte sich, daß er im Laboratorium einen Lügendetektor gesehen hatte. Er holte ihn herauf, stellte ihn neben die Frau und ließ sie ihre Angaben wiederholen. Der Lügendetektor sagte: »Sie sagt die Wahrheit.«

Gosseyn bedankte sich bei der Frau. »Wie lange wird es dauern, bis eine Maschine hierher kommt?«

»Ungefähr eine Stunde.«

Auf einem Tisch am Fenster war ein Videophon-Nebenanschluß. Gosseyn setzte sich davor, schlug die Nummer nach und wählte. Die Mattscheibe blieb leer, flackerte nicht einmal auf. Gosseyn starrte sie verdutzt und erschrocken an. Er wählte noch einmal und hielt sein Ohr an den Lautsprecher. Toten-stille.

Er stand auf und rannte zum Hauptanschluß im Wohnraum. Immer noch keine Antwort. Er nahm die Rückwand ab und spähte in das Gehäuse des Apparats. Das Gerät war auf die normale Betriebstemperatur erwärmt, die transparenten Elektronenröhren glühten sanft. Der Fehler mußte außerhalb des Gebäudes zu suchen sein.

Langsam stieg Gosseyn die Treppe hinauf. In seiner Vorstellung entstand ein Bild, ein Bild von ihm selbst, auf diesem Berg isoliert und von der Welt abgeschnitten. Er fühlte sich deprimiert und gespannt zugleich. Das Idyll war zu Ende. Angesichts dessen, was mit dem Videophon geschehen war, erwies sich sein Glaube, daß er die Situation kontrolliere, als lächerliche Selbsttäuschung.

Irgendwo dort draußen warteten die Mächte, die ihn hierher gesetzt hatten.

8

Am oberen Treppenabsatz blieb Gosseyn stehen, um seine Gedanken zu sammeln. Sein Plan für eine baldige und problemlose Abreise war fehlgeschlagen. Nun blieb ihm nichts übrig, als seine Informationen zu bekommen und dann so bald wie möglich zu Fuß fortzugehen.

Er war im Begriff, das Schlafzimmer zu betreten, als er Prescott sagen hörte: »Ich verstehe nicht, was mit dem Video los ist.«

»Es gibt nur zwei Möglichkeiten«, meinte seine Frau. »Eine Interferenz von außen oder ein Schaden im Apparat selbst.«

»Aber da gibt es doch eine automatische Warnung, lange bevor Röhren oder andere Teile verschleißen, worauf ein Techniker vorbeikommt und sie auswechselt, nicht?«

Gosseyn wartete auf die Antwort der Frau. Es war schwer zu glauben, daß sie sich die Störung genausowenig erklären konnten wie er.

»So ist es immer gewesen«, sagte Amelia Prescott. »Die Sache kommt mir sehr merkwürdig vor.«

Gosseyn wartete auf einen Kommentar des Mannes. Als keiner kam, schlich er auf Zehenspitzen die Treppe hinunter und stieg sie geräuschvoll wieder herauf und ging zu den beiden Gefangenen.

»Wo haben Sie Ihre Landkarten von der Venus?«

Prescott antwortete nicht, aber seine Frau beschrieb den Wandschrank im Laboratorium, wo sie aufbewahrt wurden. Gosseyn rannte wieder in den Keller hinunter und fand drei Karten, die er, wieder oben, auf dem Boden ausbreitete. Er hatte öfters Landkarten der Venus gesehen, aber diese waren detaillierter.

Gosseyn blickte auf. »Wollen Sie mir zeigen, wo wir uns befinden?«

»Das können Sie auf der dritten Karte sehen«, sagte die Frau. »Das Haus liegt auf der zentralen Gebirgskette. Ich habe die ungefähre Lage einmal mit einem kleinen Kreuz markiert.«

Gosseyn fand die Stelle. Sie war etwa sechshundert Kilometer von der nächsten größeren Stadt entfernt.

»Wildfrüchte gibt es genug«, beantwortete sie seine nächste Frage. »Da haben wir dunkelrote Beeren, eineinhalb Zentimeter im Durchmesser, die überall vorkommen, dann eine große gelbe Frucht von der Form und Größe der Zuckermelone, die jedoch an Bäumen wächst. Und schließlich eine bananenförmige saftige Frucht von rötlicher Farbe. Ich könnte Ihnen noch ein Dutzend andere nennen, aber diese reifen das ganze Jahr. Sie können sich davon auf jeder Wanderung ernähren, wohin immer Sie gehen.«

Gosseyn studierte das Gesicht der Frau nachdenklich. »Sie sind überzeugt, daß man mich fangen wird, nicht wahr?«

»Natürlich wird man Sie fangen«, erwiderte Amelia Prescott ruhig. »Wir haben auf der Venus kein Polizeisystem und auch keine gewöhnlichen Verbrechen. Aber die Fälle, zu deren Aufklärung Detektivarbeit nötig ist, werden immer mit erstaunlicher Schnelligkeit erledigt. Sie werden sich wundern, in wie kurzer Zeit man Sie gefaßt haben wird.«

Gosseyn, dessen Hauptanliegen war, mit venusianischen Behörden Kontakt aufzunehmen, begann allmählich klarer zu sehen. Amelia Prescotts völliges Mißverstehen der Situation lieferte ihm den Schlüssel dazu.

Sie war unschuldig. Sie war nicht Mitglied der Verschwörerbande. Dafür sprach auch das hartnäckige Schweigen ihres Mannes. Das war nicht normal. Oder konnte es noch andere Gründe geben? Gosseyn wurde blaß. Bis zu diesem Augenblick hatte er als selbstverständlich vorausgesetzt, daß man ihn nicht erkannt hatte. Prescott war nicht unter denen gewesen, die ihn auf der Erde im Palast der Maschine gesehen hatten. Aber angenommen, die anderen hatten ihm Fotografien gezeigt?

Das veränderte die Lage. Er durfte nicht gehen, ohne der Frau zuvor die Augen geöffnet zu haben. Durch sie konnten die Bewohner der Venus vor der Gefahr gewarnt werden, die ihnen drohte. Sie einzuweihen würde auch für die Frau riskant sein, doch er hatte da eine Idee. Er würde die Entscheidung über John Prescott ihr überlassen.

Gosseyn setzte sich auf die Bettkante. Ruhig, mit kühler und distanzierter Stimme begann er zu sprechen. Tatsächlich interessierte ihn nur die Frau. Nach den ersten Sätzen wälzte Prescott sich herum und beobachtete sein Gesicht. Gosseyn tat, als merke er es nicht. Als er eine Viertelstunde später verstummte, waren Prescotts Augen noch immer auf ihn gerichtet.

»Vermutlich wissen Sie selbst«, sagte der Mann, »daß Ihre Geschichte einen entscheidenden Fehler hat.«

Gosseyn zuckte die Achseln. »Meine Geschichte ist wahr. Genauso hat mein Gedächtnis sie aufgezeichnet. Und jeder Lügendetektor wird es bestätigen. Es sei denn . . .« Er brach ab, schüttelte den Kopf.

»Ja?« drängte Prescott. »Es sei denn was?«

»Es sei denn, daß alle Erinnerungen, die ich jetzt habe, von der gleichen Art sind wie meine frühere Überzeugung, ich sei mit Patricia Hardie verheiratet gewesen. Aber was für einen entscheidenden Fehler wollen Sie entdeckt haben?«

»Die Identifizierung Ihres gegenwärtigen Selbst mit dem Gosseyn, der getötet wurde. Ihre vollständige Erinnerung an diesen Tod, an die Kugeln und Energiestrahlen. Denken Sie darüber nach. Und dann denken Sie über jenen Grundsatz der Null-A-Philosophie nach, daß keine zwei Dinge im Universum identisch sein können.«

Gosseyn schwieg verwirrt. Seit seinem Erwachen hatte er wieder und wieder an eben diesen Einwand gedacht, den Prescott jetzt machte. Irgendwie schien ausgerechnet er nicht in dieses Universum zu passen.

Es wurde still im Raum. Gosseyn saß wie erstarrt. Seine Sicht begann zu verschwimmen. Er fröstelte plötzlich.

»Es wäre interessant«, sagte Prescott nach langer Pause, »festzustellen, ob es wirklich einen anderen Körper gibt.«

»Ja«, sagte Gosseyn mechanisch. »Ja, das wäre interessant.«

Nun, da die Worte ausgesprochen waren und das Bild sich ihm aus diesem Blickwinkel darstellte, glaubte er seine Geschichte selbst nicht mehr. Ob zum Guten oder Schlechten, er mußte sich nicht entscheiden. Dies war weder die richtige Zeit noch der rechte Ort, um die fruchtlose Frage nach seiner eigentlichen Identität von neuem aufzurollen.

Er bückte sich und löste die Fußfesseln der Frau, dann half er ihr auf die Beine.

»Sie gehen jetzt ungefähr einen Kilometer mit mir«, sagte er. »Danach können Sie zurückkommen und Ihren Mann befreien.«

Er hatte nicht nur Sicherheitsgründe für diese Maßnahme. Er wollte ihr die Situation klarmachen und sagen, was er über ihren Mann gehört hatte. So blieb das Problem, was mit Prescott zu geschehen habe, ihr überlassen.

Er sagte es ihr auf den letzten hundert Metern, bevor er ihr die Handfessel abnahm. Als er geendet hatte, blieb sie so lange still, daß er schließlich hinzufügte: »Es kann sein, daß Ihr Mann Sie daran hindern wird, die Tatsachen weiterzugeben, die ich Ihnen anvertraut habe. Andererseits ist es möglich, daß sein Glaube an die Philosophie des Null-A stärker ist als seine Loyalität seiner Regierung gegenüber. Darüber werden Sie sich nach der Kenntnis, die Sie von Ihrem Mann haben, selbst klarwerden müssen.«

Die Frau seufzte. Aber alles, was sie sagte, war: »Ich verstehe.« Dann sah sie Gosseyn ernst in die Augen. »Ich danke Ihnen«, sagte sie leise. »Ich danke Ihnen sehr.« Sie zögerte. »Ich werde ihm vertrauen, aber zuvor lasse ich Ihnen einen guten Vorsprung.«

»Viel Glück«, sagte Gosseyn. Er blickte ihr einen Moment nach, dann machte er auf dem Absatz kehrt und ging mit langen Schritten auf den Wald zu. Eine Weile begleitete ihn das Gurgeln und Rauschen eines kleinen, nun von den Regenfällen angeschwollenen Baches. Es verstummte, als er in das Halbdunkel unter den titanischen Bäumen eintauchte.

Er war eine Stunde durch den anscheinend unendlichen Wald gegangen, als er merkte, daß es zunehmend dunkler wurde. Die Nacht brach an. Er überlegte, ob er unter den Bäumen würde schlafen müssen oder ob es nicht besser wäre, die Nacht durchzuwandern, als er hinter einem der riesigen Stämme eine weite Lichtung gewahrte.

Er fand eine grasige Bodenerhebung, suchte sich einen Lagerplatz und streckte sich auf den Rücken. Er hatte die Augen noch nicht geschlossen, da tauchte über dem Kamm eines nahen Hügels eine Maschine auf. Sie schoß lautlos herunter und rollte zwanzig Meter vor ihm aus. Im Bug blitzte ein Scheinwerfer auf, schwenkte herum und fing Gosseyn in seinem Lichtkegel. Aus der blendenden Helligkeit kam eine Stimme.

»Gilbert Gosseyn, ich bin kein Feind, aber ich kann keine Erklärung abgeben, bis Sie in der Maschine sind. Um sicherzustellen, daß Sie unverzüglich und ohne Widerrede einsteigen, mache ich Sie darauf aufmerksam, daß zwei Maschinengewehre auf Sie gerichtet sind. Jeder Fluchtversuch ist sinnlos.«

Gosseyn sah die zwei häßlichen Läufe aus der Bugkanzel ragen. Angesichts dieser Bedrohung war es gleich, ob er den Worten aus der Maschine glaubte oder nicht. Ohne ein Wort folgte er der Aufforderung und kletterte durch die offene Tür an Bord. Er hatte kaum Zeit, sich auf dem nächsten Sitz niederzulassen, da knallte die Tür auch schon zu. Alle Lichter an Bord erloschen. Die Maschine raste los und hob von der Lichtung ab. Steil stieg sie in den Nachthimmel auf.

9

Innerhalb weniger Sekunden war die Welt der Riesenbäume und Berge eins mit der Nacht. Tiefes Schwarz hüllte die dahinjagende Maschine ein. Etwa fünf Minuten vergingen, dann fühlte Gosseyn, wie die Maschine eine horizontale Lage einnahm. Die Beleuchtung flammte auf, und die Stimme des Autopiloten sagte: »Während der nächsten zehn Minuten können Sie Fragen stellen. Danach muß ich Ihnen Landeinstruktionen geben.«

Es dauerte einen Moment, bis Gosseyn seine Stimme fand. Die erste Frage war naheliegend genug.

»Wer sind Sie?«

»Ein Agent der Maschine.«

Gosseyn seufzte erleichtert. »Spricht die Maschine durch Sie zu mir?«

»Nur indirekt. Die Maschine kann Botschaften von der Venus empfangen, kann selbst aber nicht auf interplanetarischen Wellenlängen senden.«

»Sie handeln nach eigenem Ermessen?«

»Ich habe meine Instruktionen.«

Gosseyn holte tief Atem. »Wer bin ich?«

»Ich habe keine Informationen über Ihre Vergangenheit, nur über Ihre gegenwärtige Lage.«

Gosseyn fühlte einen Anflug von Verzweiflung. »Aber ich muß etwas wissen. Ist meine Erinnerung, daß ich getötet wurde, richtig?«

»Darüber kann ich leider keine Auskunft geben«, erklärte die Stimme der Maschine in ihrem gleichmütigen Tonfall. »Wie ich schon sagte, habe ich keine Informationen über Ihre Vergangenheit. Ich schlage vor, daß Sie Ihre Fragen auf die hiesige Situation beschränken. Oder vielleicht ziehen Sie vor, daß ich Ihnen einen kurzen Überblick über die Bedingungen gebe, die hier auf der Venus am Vorabend der Invasion herrschen.«

»Ja«, sagte Gosseyn müde. »Ja, das wäre eine gute Idee.«

Die Stimme begann:

»Um die politische Situation hier zu verstehen, müssen Sie Ihre Vorstellungen von Demokratie erweitern. Auf der Venus gibt es keine Regierung, kein Parlament, keine herrschende Klasse oder Gruppe. Alles ist freiwillig. Jeder lebt für sich, tut sich aber mit anderen zusammen, um dafür zu sorgen, daß die notwendigen Arbeiten getan werden.

Sie müssen sich nun eine Situation vorstellen, wo die Mitglieder der Verschwörung nahezu alle Schlüsselpositionen auf den Gebieten der Justiz und der Fahndung und damit die Kontrolle über diese Organe an sich gebracht haben. Dies geschah Schritt für Schritt im Laufe der letzten Jahre unter John Prescotts Regie . . .«

»Moment!« unterbrach Gosseyn. »Wollen Sie damit sagen . . .«

»Ich sage Ihnen«, erklärte die Maschine, »daß Sie der Gefangennahme nicht entgehen können. Sie werden jetzt verstehen, warum ich Sie durch eine Interferenzschaltung am Gebrauch von Prescotts Videophon hindern mußte. Seit Thorsons Ankunft haben die Justiz- und Fahndungsorgane ihre Autorität dazu mißbraucht, die Videophonverbindungen aller wichtigen Personen anzuzapfen. Das schließt, soweit es Thorson angeht, seine eigenen Untergebenen ein. Darum können Sie auch von Crang keine Hilfe erwarten. Er muß Energie und Rücksichtslosigkeit beweisen, wenn er seinen Posten nicht verlieren will.

Aber ich muß mich kurz fassen. Ihre Existenz und das Geheimnis Ihres geistigen Potentials hat eine gewaltige Kriegsmaschinerie zum Leerlauf gezwungen, während ihre Befehlshaber verzweifelt herauszufinden bemüht sind, wer hinter Ihnen steht. Glauben Sie also nicht, daß der Vorschlag, den ich Ihnen jetzt für das einzig logische Vorgehen machen werde, leichtfertig sei.

Sie müssen sich in die Hände der Verschwörer fallen lassen, und Sie müssen dies in der Hoffnung tun, daß sie so an Ihren geistigen und körperlichen Besonderheiten interessiert sein werden, daß sie Sie mindestens einige Tage leben lassen werden, um Ihr Nervensystem genauer als letztesmal zu untersuchen.

Dazu gebe ich Ihnen hier die letzten Instruktionen:

›In wenigen Minuten werden Sie neben Eldred Crangs Waldhaus landen. Gehen Sie zu ihm und erzählen Sie ihm Ihre Geschichte über die Null-A drohende Gefahr, als ob Sie nichts von ihm wüßten. Halten Sie den Schein bis zum letzten möglichen Augenblick aufrecht.‹ Und nun halten Sie sich bereit.«

Die Nase der Maschine kippte abwärts.

Gosseyn drückte sich fester in seinen Sitz. »Ich werde diese Maschine nicht verlassen«, sagte er grimmig. »Für derart selbstmörderische Unternehmungen bin ich nicht zu haben. In diesem ganzen Plan gibt es kein Anzeichen dafür, daß Vorkehrungen für meine Sicherheit getroffen wären. Und es sind keine getroffen, nicht wahr?«

»Keine Sicherheitsvorkehrungen«, gab der Lautsprecher der Maschine zu. »Aber unterschätzen Sie die Fähigkeiten eines Mannes nicht, der getötet und doch am Leben ist.«

»Ganz gleich«, entgegnete Gosseyn verärgert. »Ich tue es nicht, und das ist endgültig.«

Die Stimme blieb ruhig. »Sie haben keine Wahl. Wenn Sie die Maschine nicht freiwillig verlassen, werde ich den Passagierraum mit Tränengas füllen und Sie hinaustreiben. Ich weise Sie darauf hin, daß die Instruktionen, die ich Ihnen gegeben habe, bestimmt sind, Ihnen das Leben zu retten. Sie können diese Instruktionen auf eigene Gefahr mißachten. Denken Sie daran, es ist die Ansicht der Maschine, daß Sie sich entweder den Verschwörern ergeben oder von ihnen gefangengenommen werden sollen. Bitte denken Sie darüber nach, Mr. Gosseyn, und wenn Sie irgendwelche weiteren Fragen haben...«

Gosseyn sagte mißmutig: »Was ist der Zweck, mich in ihre Hände fallen zu lassen?«

»Es ist wichtig«, war die Antwort, »daß sie einen Mann zu sehen bekommen, von dem sie wissen, daß er tot ist.«

Es gab einen Stoß und ein holperndes Ausrollen, und die Maschine stand. »Steigen Sie aus!« sagte die Stimme. »Ich darf keine Minute hier verweilen. Hinaus! Schnell!«

Gehorsam kletterte Gosseyn aus der Maschine. Er hatte keine Lust, Gas zu schlucken. Er sprang auf den harten Grund, und Sekunden später stand er allein in der alles umschließenden Finsternis des fremden Planeten.

10

Die Nacht war still und friedlich. Gosseyn folgte den Richtungsangaben der Maschine und war kaum hundert Schritte gegangen, als er halblinks einen schwachen Lichtschimmer ausmachte. Er hielt darauf zu, und das Licht wurde heller und deutlicher. Schließlich sah er die Quelle: Breite Fenster in einem riesigen Baumstamm am Waldrand.

Gosseyn blieb im Schatten eines Busches stehen und blickte hinauf. Noch an Bord der Maschine war er sich klargeworden, daß er dem Rat folgen mußte. Nun wartete er, daß die schwarzen Silhouetten menschlicher Gestalten an den Fenstern erschienen. Aber es geschah nichts. Er sah nicht einmal eine reflektierte Bewegung von innen. Entschlossen trat er ins Licht. Er hatte bereits eine breite Treppe entdeckt, die aus dem soliden Stamm gehauen war. Er stieg sie hinauf und kam auf eine Terrasse, über die er eine mit Schnitzwerk verzierte geschlossene Tür erreichte. Er klopfte laut.

Nachdem er eine Minute gewartet hatte, kam ihm der Gedanke, daß trotz der eingeschalteten Beleuchtung niemand zu Haus sein könnte. Er klopfte wieder und drückte die Klinke. Die Tür gab geräuschlos nach, und er sah in einen schwach beleuchteten Gang, einen Korridor mit polierten Wänden aus dem massiven Holz des Baumgiganten. Das Holz schimmerte warm und hatte eine Maserung wie Mahagonikernholz, während die Farbe an dunkles Walnußfurnier erinnerte.

Gosseyn stand zögernd auf der Schwelle. Es wäre ein lächerliches und sinnloses Ende, wenn man ihn, der sich ergeben wollte, als unbefugten Eindringling oder Einbrecher erschießen würde. Noch einmal schlug er mit der Faust an die Tür, diesmal gegen die Innenseite. Keine Antwort. Am Ende des Korridors strömte Licht aus einer offenen Tür. Gosseyn ging darauf zu und sah sich in einem großen, behaglich eingerichteten Wohnraum, der, ebenso wie der Korridor, aus dem massiven Holz des Stammes gehauen war. Auch hier waren Wände, Decke und Boden mattglänzend poliert, aber offenbar hatte man das Holz mit einer weniger dunklen Beize vorbehandelt, denn es war heller und freundlicher. Das Ganze machte einen herrschaftlichen Eindruck, der noch von einem mindestens acht Meter breiten und zwölf Meter langen Teppich verstärkt wurde. Von diesem Raum ging offenbar der Lichtschein aus, den er draußen gesehen hatte. Breite, sanft gebogene Fenster nahmen eine ganze Seite des Raumes ein. Sechs Türen gingen von ihm aus, und Gosseyn öffnete sie der Reihe nach. Er sah eine Küche mit Kühlraum und Eßecke, einen Salon, vier Schlafzimmer, jedes mit einem eigenen Bad, und einen breiten Durchgang zu einem dunklen Raum, der eine Art Innenhof oder Garten inmitten des mächtigen Stammes zu sein schien.

Nachdem er das vierte Schlafzimmer durchsucht hatte, gab es keinen Zweifel mehr, daß Eldred Crang nicht zu Haus war. Wahrscheinlich würde er zu gegebener Zeit zurückkehren, aber seine derzeitige Abwesenheit stellte ein psychologisches Problem. Gilbert Gosseyns Entscheidung war vertagt, sein Schicksal blieb in der Schwebe. Bis Crang nach Hause käme, waren Meinungsänderungen möglich, Zweifel, ob es ratsam sei, hier zu bleiben, um sich vom Feind fangen zu lassen, während die Bewohner der Venus vor einer drohenden Gefahr gewarnt werden mußten.

Nach einem zweiten rastlosen Rundgang entdeckte Gosseyn eine zweite, von der Küche ausgehende Tür, die ins Dunkle führte. Licht aus dem Raum fiel über seine Schulter, und nachdem seine Augen sich an das Halbdunkel gewöhnt hatten, sah er, daß er in einen höhlenartig niedrigen Gang blickte. Nach dreißig oder vierzig Metern verschmolz alles in Schwärze, aber

Gosseyn hatte den Eindruck, daß der Höhlengang sich weiter in die Tiefe des Baumstammes fortsetzte.

Er schloß die Tür mit einem unbehaglichen Gefühl, ging in eins der Schlafzimmer, zog sich aus und nahm eine Dusche im benachbarten Bad. Erfrischt und schläfrig zugleich kroch er ins frischbezogene Bett. Die Stille um ihn war vollkommen. Seine Gedanken kehrten sich nach innen zu dem Geheimnis Gilbert Gosseyn, der getötet worden war und wieder lebte. Selbst die Götter der Alten hätten es nicht besser machen können. In jenen romantischen Tagen hätte er sich vielleicht als ein Prinz, ein wichtiger Regierungsagent oder als der Sohn eines steinreichen Kaufmannes entpuppt. Aber im Null-A-Universum gab es keine besonderen Leute. Gewiß, es gab viele reiche Leute, und wahrscheinlich konnte man Präsident Hardies Agenten als eine Art von Regierungsagenten bezeichnen. Aber die Werte hatten sich verändert. Die Leute wurden als Gleiche geboren, es gab keine Vererbung von Besitz, und alle mußten sich der Null-A-Ausbildung unterziehen, um die Welt des Verstandes mit der des Gefühls in einer höheren Intelligenz zu integrieren. Es gab keine Könige, keine Herzöge und Grafen, keine Supermänner, die inkognito reisten. Wer war er, daß er so wichtig war?

Mit diesem Gedanken schlief er ein.

Ein plötzlicher Schreck ließ Gosseyn hochfahren. Durch die offene Schlafzimmertür schien Tageslicht aus dem großen Wohnraum, ein gedämpftes, grünlichgraues Licht. Er rieb sich die Augen und überlegte, ob Crang zurückgekehrt sei, ohne zu bemerken, daß er einen Besucher beherbergte. Er kletterte aus dem Bett und wusch sich geräuschvoll, wobei er laut und mißtönend pfiff. Er kam sich etwas albern vor, aber es war wichtig, daß er sich bemerkbar machte.

Er pfiff noch immer angestrengt, als er in die Küche ging. Laut öffnete er Schubladen und Schranktüren, klapperte mit Geschirr, Töpfen und Pfannen. Er untersuchte den wohlausgestatteten Kühlschrank und zog geräuschvoll Behälter heraus. Er holte eine Tasse mit Untertasse von einem Regal herunter und ließ sie am Boden zerschellen.

Als er mit dem Frühstück fertig war, war er immer noch allein.

Er verließ die Küche und inspizierte die Wohnung. Der

Wohnraum lag in hellem Tageslicht, das durch die riesigen Fenster hereinströmte. Die drei anderen Schlafzimmer waren unberührt. Er öffnete die Tür zu dem schmalen Gang, der ins Innere des Baumstammes führte. Dort war es genauso finster wie am Abend zuvor. Er verzichtete nach kurzem Schwanken auf eine weitere Erforschung und kehrte in den Wohnraum zurück. Durch die großen Fenster sah er, daß das Haus im Baum am Rand einer weiten Wiese war. Ein Teil dieser Wiese war in einen hübsch angelegten Garten umgewandelt. Er wanderte zurück, um den Innenhof zu inspizieren, den er am Vorabend entdeckt hatte. Zu seiner Verblüffung fand er den allseits vom Stamm umgebenen Raum in taghelles Licht getaucht, dessen Quelle in der Mitte der hohen, kuppelförmigen Decke war. Es schien sich um eine sehr starke Tageslichtlampe zu handeln, die im Rhythmus der Tages- und Nachtzeiten draußen automatisch ein- und ausgeschaltet wurde. Der ganze große Raum bildete einen Garten wie in einem Märchenland. Da waren blühende Büsche, die er im Freiland draußen nicht gesehen hatte, Büsche von der Größe irdischer Bäume, mit tellergroßen Blüten von einer Farbenpracht, daß sie ein eigenes Licht abzugeben schienen. Irgendwo im Blütendschungel plätscherte ein Springbrunnen. Die Venus mußte ein Experimentierparadies für Botaniker sein.

Die Schönheit des Gartens vermochte ihn nicht lange zu fesseln. Rastlos durchwanderte er die Wohnung. Was sollte er machen, während er auf Crang wartete? Er nahm sich die Bücherregale im Wohnraum vor. Mehrere Titel interessierten ihn: ›Die Besiedelungsgeschichte der Venus‹, ›Die Maschine und ihre Erbauer‹, ›Justiz in einer Welt ohne Verbrecher‹ und ›Integration – die Überwindung des Egoismus‹.

Das Lesen beruhigte Gosseyns Nerven, und das Mittagessen verzehrte er mit einem Buch neben seinem Teller. Bis zum Abend hatte er die Geschichte der Venus in seinen Wissensvorrat aufgenommen. Bevölkerungszahl im Jahre 2560 – 119 000 038 Männer, 120 143 280 Frauen, sagte das Buch. Gosseyn fragte sich, ob der Frauenüberschuß erklären mochte, warum eine Null-A-Frau John Prescott geheiratet hatte.

Auch am folgenden Morgen erwachte Gosseyn in seiner stillen Wohnung. Er stieg aus dem Bett, höchst erstaunt, daß er noch immer unentdeckt war. Er beschloß noch einen Tag und eine Nacht zu warten und dann etwas Positives zu unternehmen.

Es gab mehrere Dinge, die er tun konnte. Zum Beispiel konnte er einen Videophonanruf bei der nächsten Vermittlungsstelle machen. Und der Tunnel ins Innere des Baumes sollte erforscht werden.

Der zweite Tag verging ohne Vorkommnisse.

Am Morgen des dritten Tages aß Gosseyn sein Frühstück hastiger als sonst und setzte sich ans Videophon. Er wählte ›Fernverbindung‹ und wartete und dachte dabei, wie dumm er gewesen sei, daß er es nicht schon eher getan habe. Der Gedanke verging, als auf der Mattscheibe ein Roboterauge Gestalt annahm.

»Von welchem Stern rufen Sie?« fragte die Roboterstimme nüchtern.

Gosseyn starrte benommen in die Mattscheibe und stammelte schließlich: »Entschuldigung, falsch gewählt.« Er schaltete aus und sank auf seinen Stuhl zurück. Er hätte wissen müssen, dachte er zitterig, daß der galaktische Stützpunkt auf der Venus ein eigenes Netz besaß und daß über dieses Netz direkte Verbindungen mit allen möglichen Planeten hergestellt werden konnten.

Er studierte die Tastatur von neuem und drückte den Knopf für lokale Verbindungen. Wieder sah ihn ein Roboterauge an. Die Stimme beantwortete seine Frage prompt und emotionslos: »Tut mir leid, von dieser Nummer kann ich keine Verbindungen nach außerhalb durchstellen, außer von Mr. Crang selbst.«

Klick.

Gosseyn stand auf. Die Stille der Wohnung umströmte ihn wie ein Meer ohne Wellen. Er hatte tatsächlich ein Gefühl, unter Wasser zu sein. Es war so still, daß sein Atmen laut klang. Er konnte das unregelmäßige Pochen seines Herzens hören. Die Roboterstimme echote wieder durch seinen Kopf. »Von welchem Stern rufen Sie?« Und zu denken, wieviel Zeit er verschwendet hatte. So viel war zu tun. Zuerst der Tunnel.

Ein paar Minuten später stand er mit einer Taschenlampe im Eingang und spähte den dämmerigen Gang entlang, der in die Tiefen eines Baumes führte; eines Baumes, der acht- oder neunhundert Meter hoch und fast zweihundert Meter dick war. Er ließ die Tür hinter sich offen, dann begann er in den niedrigen Gang einzudringen.

11

Seine Umgebung war von einer Einförmigkeit, die alle Gedanken lähmte. Der Tunnel machte mehrere Kurven und wurde abschüssig. Während der ersten zehn Minuten verzweigte der Tunnel sich zweimal, und im Lauf der nächsten Stunde teilte er sich weitere drei Male. Außerdem zählte Gosseyn sieben Tunnels auf dieser Strecke, die entweder in den seinen mündeten oder ihn kreuzten. Das Labyrinth hätte verwirrend sein können, aber Gosseyn hatte ein Notizbuch mitgenommen, in das er seinen Weg und alle Abzweigungen skizzierte.

»Ich muß«, sagte er sich endlich, »zwanzig oder dreißig Meter unter der Erde gehen und den verschlungenen Wurzeln folgen. Ich bin nicht mehr im Baum, sondern unter dem Waldboden.«

Er hatte bisher noch nicht an die Ausdehnung der Wurzeln gedacht, die die mächtigen Bäume verankerten. Aber hier in diesem unterirdischen Geflecht wurde deutlich, daß die Wurzeln sehr dick und lang waren und daß sie sich eng über- und aneinander preßten. Vom Innern des Tunnels war es unmöglich, zu entscheiden, wo die Verbindungen waren, wo eine Wurzel aufhörte und die andere begann. Er untersuchte die Einmündung des nächsten Seitentunnels nach Nahtstellen, doch war nichts zu sehen. Das Holz, hier unten gelblichweiß gefärbt, war überall gleich glatt, hart und massiv. Und es gab keine Zeichen, keine versteckten Lichtschalter oder Wegweiser irgendwelcher Art.

Er wurde unruhig. Diese Tunnels waren allem Anschein nach endlos. Wenn er sie wirklich so gründlich erforschen wollte, wie er es vorhatte, würde er Proviant und einen Kompaß brauchen. Zu dumm, daß er einen Rückweg von zwei Stunden vor sich hatte, aber besser zwei Stunden als fünf. Der richtige Zeitpunkt zum Umkehren war, bevor man sich hungrig oder durstig fühlte.

Ohne Zwischenfall erreichte er Eldred Crangs Wohnung. Er machte sich einen Stoß belegter Brote und setzte sich hungrig zu einer Mahlzeit aus Schinken und Eiern, als die vier Männer hereinkamen. Sie kamen gleichzeitig aus zwei verschiedenen Türen, und die ersten drei Männer hatten Maschinenpistolen und sprangen herein, als ob sie alle von derselben Stahlfeder geschnellt wären. Der vierte Mann war ein drahtiger, mittelgroßer Sportlertyp mit nußbraunen Augen, und er betrat den

Raum etwas weniger überstürzt. Er sagte: »Sehr schön, Gosseyn. Nehmen Sie die Hände hoch.«

Gosseyn saß steif am Tisch, den Kopf erhoben und nach den Eindringlingen umgedreht. Er begriff, daß Eldred Crang, galaktischer Agent, venusianischer Detektiv, Stützpunktkommandant und geheimer Anhänger der Null-A-Lehre, endlich nach Hause gekommen war.

Er stand schnell auf, hob die Hände über den Kopf und beobachtete die Männer mit unverhohlener Neugier. Er fühlte Erleichterung.

Einer der Männer kam an den Tisch und öffnete das Paket mit den belegten Broten. Sie purzelten heraus und über den Tisch, und zwei fielen auf den Boden. Der Mann sprach nicht sofort, aber er starrte auf die Brote und lächelte hintergründig. Er war ein stämmiger, gutgepflegter Mann Anfang Dreißig. Er kam näher.

»Sie wollten uns verlassen, wie?«

Seine Stimme hatte einen leichten fremdländischen Akzent. Er lächelte wieder, und dann schlug er Gosseyn plötzlich die flache Hand ins Gesicht. »Abhauen wollten Sie, was?«

Crang sagte: »Das ist genug, Blayney«, und der Mann nahm seine schon erhobene Hand herunter. Aber in seinem Gesicht zuckte und arbeitete es.

»Angenommen, er wäre verduftet, Mr. Crang?« sagte er. »Angenommen, er hätte die Vermittlung nicht angerufen? Wer hätte daran gedacht, hier nach ihm zu suchen? Wenn er entkommen wäre, hätte der Chef einen Schlaganfall . . .«

»Ruhe!«

Blayney verstummte mißmutig. Gosseyn wandte sich an den drahtigen Anführer. »An Ihrer Stelle würde ich Blayney nicht mehr trauen, wenn er einmal vierzig ist, Crang.«

»Was?« Das war Blayney, der eine verdutzte Miene zur Schau stellte. Crang blickte Gosseyn forschend an.

»Es gibt psychiatrische Erklärungen dafür, daß Blayney mich grundlos geschlagen hat«, erklärte Gosseyn. »Sein Nervensystem beginnt genauso stark auf Dinge zu reagieren, die vielleicht hätten geschehen können, wie auf solche, die tatsächlich geschehen sind. Das ist eine reine Funktionsstörung, aber wie sie sich äußert, ist für das Individuum recht peinlich. Ein allmählicher Verlust an persönlichem Mut. Sadistische Ausbrüche, um die sich entwickelnde Feigheit zu verbergen.« Er zuckte die

Achseln. »Wieder ein trauriger Beweis dafür, was aus einem Menschen werden kann, dem die Null-A-Integration fehlt.«

Blayney hatte graue Augen. Sie funkelten Gosseyn an, richteten sich dann auf Crang. »Darf ich ihm dafür noch mal eine 'runterhauen, Mr. Crang?«

»Nein. Lassen Sie ihn doch denken, was er will.«

Blayney machte ein unzufriedenes Gesicht, aber Gosseyn sagte nichts mehr, was seine Lage verschlimmern könnte. Es war an der Zeit, daß er seine Geschichte erzählte.

Erstaunlicherweise hörten sie aufmerksam zu. Als Gosseyn geendet hatte, nahm Crang eine Zigarette aus einem Etui und zündete sie an. Sein Gesichtsausdruck hatte etwas Betretenes, und minutenlang rauchte er schweigend. Gosseyn hatte Zeit, den Mann zu studieren.

Eldred Crang war schlank und nicht groß, eher zierlich gebaut. Er war ein dunkler Typ, was auf mediterranen oder vorderasiatischen Ursprung schließen ließ. Vielleicht war er auf einem Planeten mit einem heißeren Zentralstern als der Sonne geboren worden. Er schien von rastloser Energie erfüllt zu sein, und das gab seiner Persönlichkeit zusammen mit den grüngrauen Augen etwas Feuriges.

Dies also war der Mann, den Patricia Hardie liebte. Gosseyn empfand keine gefühlsmäßige Abneigung gegen den Mann. Er erinnerte sich jedoch, daß er von Crang keine Hilfe erwarten konnte. Der Mann war von Mitgliedern der Verschwörerbande umgeben, und da Thorson das Oberkommando innehatte, mußte Crang sehr vorsichtig operieren.

Crang lachte unvermittelt. »Einen Augenblick war ich nahe daran, Ihnen die Geschichte abzunehmen. Aber die Wahrheit ist, daß wir nicht Versteck zu spielen brauchen. Wir haben beschlossen, eine Konferenz über Sie abzuhalten, bei der Sie selbst zugegen sein werden. In einer Stunde reisen wir zur Erde ab.«

»Zur Erde«, sagte Gosseyn mechanisch. Er lächelte bekümmert. Seit seiner Ankunft auf der Venus war es ihm lediglich gelungen, eine einzige Person über die Gefahr zu informieren, die dem Sonnensystem drohte. Und diese eine Person, Amelia Prescott, hatte die Geschichte der Fahndungsbehörde weitererzählt, ohne zu wissen, daß diese Organisation nicht viel mehr als ein Anhängsel der Verschwörergruppe war. Eine Person unter zweihundert Millionen.

»Los, Blayney«, kommandierte Crang, »bringen Sie die Prescotts herein.«

Gosseyn erschrak, versuchte aber, sich nichts anmerken zu lassen. John und Amelia Prescott wurden hereingeführt, geknebelt und mit Handschellen gefesselt. Der Mann warf Gosseyn einen steinernen Blick zu, aber die Frau fuhr sichtbar zusammen, als sie seiner ansichtig wurde. Dann schüttelte sie hoffnungslos ihren Kopf.

Gosseyn schaute sie mitleidig an. Dies war das Resultat ihrer Entscheidung, sich darauf zu verlassen, daß ihr Mann mehr Null-A als Verschwörer war. Prescott hatte sie enttäuscht.

Für Prescott mußte es erniedrigend sein, daß man ihn geknebelt und in Handschellen herumführte. Was immer der Sinn dieser Farce sein mochte, Gilbert Gosseyn tat gut daran, mitzuspielen. Er wußte, wer Prescott war, aber sie wußten nicht, daß er es wußte. Es war einer seiner wenigen Vorteile in einem Spiel, bei dem die meisten Trümpfe in den Händen seiner Gegner waren.

12

Durch den leeren dunklen Raum raste ein mit vierhundertzwei Männern und einer Frau besetztes Raumschiff. Crang gab Gosseyn diese Zahlen am zweiten Tag der Reise.

»Ich habe Befehl«, fügte er hinzu, »mich auf kein Risiko mit Ihnen einzulassen.«

Gosseyn gab keinen Kommentar. Er wurde aus Crang nicht recht schlau. Der Mann beabsichtigte offenkundig, seine Position in der Verschwörergruppe zu behalten, ungeachtet seines Glaubens an die Philosophie des Null-A. Damit waren notwendig unangenehme Kompromisse verbunden, sogar eine erbarmungslose Haltung, wo Leben auf dem Spiel standen. Aber wenn er seine Macht auf lange Sicht für Null-A einsetzte, so würde das alle einstweiligen Konzessionen an die Verschwörer kompensieren.

Gosseyn spähte aus einem der großen Bullaugen in die interplanetarische Nacht. In der Dunkelheit schräg voraus hing ein übernatürlich heller Stern. Morgen würde er die Konturen der Erde annehmen, und morgen abend würde er nach einer Reise von drei Tagen und zwei Nächten im Palast des Präsidenten Hardie sein.

Die Landung war für Gosseyn eine Enttäuschung. Wolken und Dunstschleier hüllten die Kontinente ein, und auf der ganzen Strecke durch die Atmosphäre verbargen diese Wolken das Land unter ihm. Und dann, als letzte Enttäuschung, lag eine Nebeldecke über der Stadt der Maschine, die alles das einhüllte, was die Wolken vergessen hatten. Er hatte einen kurzen Blick auf das grelle Leuchtfeuer auf der Spitze der Maschine der Spiele, dann sank das Raumschiff in das höhlenartige Innere eines riesigen Hangars. Gosseyn wurde in einen Wagen verfrachtet und durch das neblige Zwielicht weggefahren. Die Straßenbeleuchtung ging an, und jede Laterne war ein milchigverschwommener Lichtklecks. Im Hof des Präsidentenpalastes angelangt, wurde Gosseyn von zahlreichen Wachen aus den eskortierenden Wagen umringt und durch einen langen, hell beleuchteten Korridor und über eine Treppe in eine luxuriöse Halle getrieben. Crang führte den Trupp mit Gosseyn in der Mitte zu einer Tür am anderen Ende.

»Da sind wir«, bemerkte er. »Dies wird Ihr Quartier sein, solange Sie Gast des Präsidenten sind. Alle anderen bleiben draußen, bitte.«

Gosseyn betrat einen Wohnraum, der mindestens zwölf Meter lang und sieben Meter breit war. Drei weitere Türen gingen von ihm aus. Crang zeigte auf sie. »Schlafzimmer, Bad und Hintereingang. Sie werden weder eingesperrt noch bewacht, aber ich an Ihrer Stelle würde nicht zu fliehen versuchen. Sie kämen nicht aus dem Palast, das versichere ich Ihnen.«

Er lächelte nicht unfreundlich. »Im Schlafzimmer werden Sie passende Kleider finden. Können Sie in etwa einer Stunde fertig sein? Ich möchte Ihnen vor dem Essen noch etwas zeigen.«

»Ich werde fertig sein«, sagte Gosseyn.

Er zog sich um, Fluchtpläne im Kopf wälzend. Er glaubte Crangs Behauptung nicht, daß es unmöglich sei, den Palast zu verlassen. Im Kleiderschrank hingen mehrere Anzüge, und er hatte sich für einen unauffälligen dunklen Anzug aus strapazierfähigem Material entschieden, als er eine Tür gehen hörte. Er fuhr in die Hose und ging hinaus in den Wohnraum. Patricia Hardie schloß eben die Tür zum Hintereingang.

»Sie verdammter Dummkopf!« sagte sie ohne Einleitung. »Warum sind Sie so schnell getürmt, als die Wachen in meine

Wohnung kamen? Haben Sie nicht gehört, wie ich den Leuten sagte, daß ich meine Räume nicht auf einen Befehl von Thorson durchsuchen lasse?« Sie sah ihn kopfschüttelnd an, winkte dann ab. »Egal. Das ist vergangen. Sie sind geflohen, ließen sich umbringen und sind nun wieder hier. Das waren doch Sie, der getötet wurde, nicht? Oder war es nur eine zufällige Ähnlichkeit?«

Gosseyn öffnete den Mund, doch sie schnitt ihm das Wort ab. »Ich kann nur eine Minute bleiben. Glauben Sie mir, ich bin die Hauptverdächtige, was Ihre Flucht im letzten Monat angeht, und wenn ich hier gesehen werde...« Sie erschauerte überzeugend. »Gosseyn, wer sind Sie? Das müßten Sie inzwischen wissen.«

Er schaute sie zweifelnd an. Sie war erregt, und sie brachte ein Leben in den Raum, das vorher gefehlt hatte.

Es war einfach genug, ihr zu erzählen, was er wußte. Er war auf der Venus erwacht, ohne zu wissen, wie er hingekommen war. Von den folgenden Ereignissen brauchte er keines zu verschweigen, außer dem Wissen, daß Prescott zu den Verschwörern gehörte. Und sogar das wußte Patricia. Immerhin war es eine Tatsache, die er nicht laut erwähnen durfte, mußte er doch damit rechnen, daß ihre Unterhaltung abgehört wurde.

Aber alles andere erzählte er ihr. Noch bevor er geendet hatte, warf sie sich in einen Sessel und biß sich in ihre Unterlippe.

»Dieser zweite Körper von Ihnen«, sagte sie endlich, »weiß tatsächlich nicht mehr als der erste. Sie sind wirklich nur eine Schachfigur.«

Gosseyn wußte nicht, ob er sich ärgern oder amüsieren sollte. Er war nicht darauf vorbereitet, mit ihr über das Problem der beiden Gosseyn-Körper zu diskutieren, obwohl er sich über den Gegenstand seine Gedanken gemacht hatte. Die Gleichsetzung mit einer Schachfigur traf ihn um so mehr, als sie wahr war.

»Hören Sie«, sagte er schroff. »Was haben Sie mit dieser ganzen Geschichte zu tun?«

Die Augen des Mädchens blickten etwas sanfter. »Verzeihen Sie«, sagte sie. »Ich wollte Sie nicht verletzen. Aber es ist die Wahrheit, daß Ihre Unwissenheit alle Gruppen verwirrt und zu den abenteuerlichsten Mutmaßungen verleitet hat. Thorson, der persönliche Bevollmächtigte Enros, hat die Invasion der Venus verschoben. Sehen Sie? Ich hatte mir gedacht, daß es Sie interessieren würde. Aber warten Sie. Keine Unterbrechungen. Ich will Ihnen etwas anvertrauen, das ich Ihnen schon vor einem Monat sagen wollte. Sie möchten gern wissen, was für eine Größe dieser X ist. Genauso geht es uns. Der Mann hat einen eisernen Willen, aber niemand weiß, auf welche Ziele er hinarbeitet. In erster Linie scheint er an seiner eigenen Machtausweitung interessiert zu sein, aber er hat die Hoffnung ausgedrückt, Sie zu einem brauchbaren Werkzeug machen zu können. Und auch die Leute von der Galaktischen Liga sind verblüfft. Sie wissen nicht, ob der kosmische Schachspieler, der Sie in dieses Spiel gebracht hat, ein Verbündeter ist oder nicht. Alle tappen im dunkeln.«

Sie machte eine Pause. Ihre Augen blitzten erregt. »Mein Freund«, sagte sie, »in dieser ganzen Verwirrung muß eine Chance für Sie liegen. Nutzen Sie sie, wenn sie sich bietet und nicht mit unmöglichen Bedingungen verknüpft ist. Bleiben Sie am Leben.«

Sie sprang auf, berührte seinen Arm in einer Geste von Freundlichkeit und rannte zur Tür. »Viel Glück!« sagte sie und schloß die Tür hinter sich.

Gosseyn zog sich wieder aus und nahm seine Dusche, und als er aus dem Bad kam, sah er, daß er einen neuen Besucher hatte. Präsident Hardie hatte in einem der Sessel Platz genommen.

Des Mannes vornehmes Gesicht erhellte sich, als er Gosseyn sah. Er wirkte stark, ruhig und entschlossen, wie die idealisierte Version eines großen Staatsmannes.

»Ich habe diese Suite für Sie bereitstellen lassen«, fing er an, »weil ich mit Ihnen sprechen wollte, unter vier Augen und ohne abgehört zu werden. Ich bin schon jetzt gekommen, weil keine Zeit zu verlieren ist.«

Gosseyn musterte den Mann mit offener Feindseligkeit. Hardie hatte sich mit Hilfe einer Bande und mit Methoden, die eine Perversion des Ausleseprinzips der Spiele waren, die Präsidentschaft angeeignet. Das war ein schweres Verbrechen und eine untilgbare persönliche Schuld.

Der ältere Mann wartete eine Weile, und als Gosseyn keine Anstalten machte, etwas zu sagen, lächelte er leicht. »Kommen Sie«, sagte er. »Seien wir nicht kindisch. Sie wollen Informationen, und ich will auch welche. Sie stellen drei Fragen, dann stelle ich drei.« Wieder wartete er, dann sagte er scharf: »Sie müssen doch Fragen haben, Mann.«

Gosseyns Feindseligkeit brach in sich zusammen. Er hatte mehr Fragen, als er an einem Abend stellen konnte. »Wer sind Sie?« fragte er wie aus der Pistole geschossen.

Hardie schüttelte den Kopf. »Ich bin entweder, der ich zu sein scheine, oder ich bin es nicht. Verlieren Sie keine Zeit mit Fragen, deren Hintergründigkeit mich nur mißtrauisch machen kann. Weiter.«

»Wissen Sie mehr über mich als das, was bereits allgemein bekannt ist?«

»Ja«, sagte Präsident Hardie. Er sah den Ausdruck, der in Gosseyns Gesicht kam, und fügte eilig hinzu: »Nicht viel, offen gesagt. Aber ein paar Tage bevor Sie auf der Bildfläche erschienen, erhielt ich einen Brief in meiner persönlichen Post. Er war hier in der Stadt der Maschine aufgegeben und gab zu erkennen, daß sein Absender alle Details dessen kannte, was wir für das bestgehütete Geheimnis im Sonnensystem gehalten hatten — er wußte von dem geplanten Angriff auf die Venus. Und dann stand noch in dem Brief, daß Sie im Tropical Park Hotel absteigen und die Invasion vereiteln würden. Der Brief enthielt gewisse Informationen, die ich anderen nicht zugänglich machen wollte, und so verbrannte ich ihn und ließ Sie durch die etwas komplizierte Prozedur zum Palast schaffen, die Ihnen bereits bekannt ist. Nun, Frage Nummer drei.«

»Was soll mit mir geschehen?«

»Man wird Ihnen ein Angebot machen. Wie es aussehen wird, weiß ich noch nicht. Thorson und X besprechen es gegenwärtig. Immerhin glaube ich, daß Sie einstweilen darauf eingehen sollten. Man würde nicht soviel Aufhebens um Sie machen, Gosseyn, wenn Ihre Position nicht so stark wäre, wie sie allem Anschein nach ist. Theoretisch gesprochen, wenn Sie zwei Körper haben können, warum dann nicht einen dritten?« Er runzelte die Stirn. »Nun, das ist bloße Spekulation.«

Gosseyn hatte zu glauben aufgehört, daß er jemals zwei Körper besessen haben könnte. Er wollte es sagen, überlegte es sich aber anders. Seine Augen verengten sich. Diese Leute mußten irgendeinen Zweck verfolgen, daß sie versuchten, ihm eine solche Idee einzugeben.

Er schaute Hardie an und sagte einfach: »Ja, das ist eine Spekulation.«

»Meine erste Frage«, sagte Hardie, »hat mit dem Mann oder der Gruppe zu tun, die hinter Ihnen stehen. Hat sich irgend jemand mit Ihnen in Verbindung gesetzt, der sich als Beauftragter einer solchen Person oder Gruppe ausgab?«

»Bestimmt nicht. Wenn die Maschine nicht dafür verantwortlich ist, tappe ich völlig im dunkeln.«

Hardie sagte: »Wir sind bemüht, die Null-A-Philosophie zu zerstören, und doch wenden wir ihre Logik an. Ihr Glaube, daß Sie nichts wissen, ist eine Abstraktion der Realität, nicht die Realität selbst.« Er saß einen Moment still und lächelte amüsiert, dann blickte er rasch auf. »Frage zwei: Haben Sie ein Gefühl in sich, anders als die übrigen Menschen zu sein? Ich gebe zu, das ist eine semantisch unkluge Frage, denn Sie wissen nur durch Beobachtung, wie andere Menschen sind, und Ihre Beobachtungen können sich von meinen unterscheiden. Wir leben jeder in seiner Welt. Aber ich kann es nicht besser beschreiben. Nun?«

Diesmal fand Gosseyn die Frage nicht nur akzeptabel, sondern hochinteressant. Das waren seine eigenen Gedanken, in Worte gefaßt.

»Ich fühle mich nicht anders. Vermutlich spielen Sie auf die Entdeckung an, die Thorson in meinem Gehirn gemacht hat.« Er brach ab. »Was ist mit meinem Gehirn?«

Er beugte sich gespannt vor. Sein Körper fühlte sich abwechselnd kalt und heiß. »Warten Sie, bis Sie an der Reihe sind«, erwiderte Hardie. »Ich habe noch meine dritte Frage. Wie haben Sie zu Crangs Waldhaus gefunden?«

»Ich wurde von einer Maschine hingebracht, die von einem Autopiloten gesteuert wurde und mich zum Einsteigen zwang.«

»Wessen Maschine war das?« fragte Hardie.

»Ich bin an der Reihe, danke«, sagte Gosseyn. »Vielleicht sollte jeder von uns nur eine Frage zur Zeit stellen. Was ist in meinem Gehirn?«

»Zusätzliche Gehirnmasse. Ich weiß nichts von ihrer Natur. Thorson ist zu der Ansicht gelangt, daß ihre Möglichkeiten, sofern überhaupt welche existieren, nur gering sind.«

Gosseyn nickte. Er war geneigt, mit Thorson übereinzustimmen.

»Wessen Maschine war es?« wiederholte Hardie.

»Sie deutete an, daß sie die Maschine der Spiele repräsentiere.«

»Deutete an?«

»Meine Frage«, sagte Gosseyn.

Hardie schüttelte ärgerlich den Kopf. »Sie beantworten meine Fragen nicht vollständig. Hat sie Ihnen keine klaren Auskünfte gegeben?«

»Sie wußte einiges, was auch die Maschine der Spiele weiß, aber sie forderte mich auf, ich solle mich ergeben. Das halte ich für verdächtig.«

»Ich verstehe«, sagte Hardie nachdenklich. »Und ich kann Ihnen keine Erklärung dafür geben. Crang hat Thorson in den letzten Tagen etwas in den Hintergrund gedrängt, und ich bin über viele Vorgänge nicht orientiert.« Er lächelte kläglich. »Ich fürchte, ich bin kaltgestellt.«

Das also war der Grund dafür, daß er hier saß und auf gleichberechtigter Basis Informationen auszutauschen suchte. Gosseyn konnte sich vorstellen, wie diese Erdbewohner plötzlich zu begreifen begannen, daß sie nur Marionetten waren, die an den Fäden fremder Mächte tanzten. Aber bevor er etwas äußern konnte, sagte Hardie schroff: »Ich bereue nichts, wenn es das ist, was Sie denken. Die Maschine hat mir das Recht zu weiterem Aufstieg abgesprochen, und ich weigerte mich, irgendeine derartige Beschränkung anzuerkennen.«

»Warum hat sie es Ihnen abgesprochen?«

»Weil sie einen potentiellen Diktator in mir sah. Das war jedenfalls ihre Erklärung. In einer Zeit, wo es noch eine legitime Furcht vor solchen Eventualitäten geben konnte, hatte man das verdammte Ding darauf gedrillt, Leute wie mich auszusondern.«

»Und so machten Sie sich daran, den Beweis zu führen, daß die Maschine recht hatte.«

Hardie zuckte mit der Schulter. »Die Gelegenheit kam, und ich nahm sie wahr. Ich würde das unter den gleichen Umständen noch einmal tun. In der galaktischen Hierarchie wird es einen Platz für mich geben. Thorson will in dieser Krise nur auf Nummer Sicher gehen, das ist alles.« Der grimmige Ausdruck verlor sich aus seinem Gesicht. Er lächelte. »Aber wir kommen vom Thema ab, und die Zeit . . .«

Die Tür wurde aufgerissen, ein Mann in Uniform trat hastig ein und schloß sie hinter sich. »Sir«, sagte er zu Hardie, »Mr. Thorson kommt gerade die Treppe herauf. Eben erhielt ich das Signal.«

Präsident Hardie erhob sich. »Nun, das beendet unser Gespräch. Aber ich glaube, ich habe erfahren, was ich wissen wollte. Seit langem versuche ich mir über Sie ein Bild zu machen. Es ist mir klar, daß Sie nicht der endgültige Gosseyn sind. Nun adieu, und vergessen Sie nicht, was ich sagte. Schließen Sie Kompromisse. Bleiben Sie am Leben.«

Er und der Wächter verließen den Wohnraum durch die Tür, die Patricia fünfzehn Minuten zuvor zum ungesehenen Abgang verholfen hatte. Sie waren erst Sekunden fort, als an die Tür zum Hauptkorridor geklopft wurde. Dann, bevor Gosseyn ein Wort sagen konnte, wurde sie aufgestoßen, und Thorson kam herein.

13

Die massige Gestalt blieb auf der Schwelle stehen, und sie war genauso, wie Gosseyn sich an sie erinnerte, kräftig, hakennasig und mit schweren, wie aus Granit gehauenen Gesichtszügen. Von Anfang an war Thorsons Position unmißverständlich klar gewesen — der Mann, den alle fürchteten, der Abgesandte von Enro. Nun stand er da und fixierte Gosseyn düster.

»Noch nicht angezogen!« sagte er scharf.

Sein Blick ging durch den Raum, mißtrauisch und wachsam. Und Gosseyn sah den Mann plötzlich in einem anderen Licht. Von den Sternen war er in ein fremdes Sonnensystem gekommen. Hier auf der Erde, umgeben von Menschen, die er nicht kannte, auf Befehl einer fernen Autorität handelnd, versuchte er seine Aufgaben zu erfüllen. Die Anspannung, in der er lebte, mußte furchtbar sein. Zu keiner Zeit konnte er der Loyalität der Leute sicher sein, mit denen er zusammenarbeiten mußte.

Er schnüffelte die Luft. »Interessantes Parfüm, das Sie da benützen«, bemerkte er.

»War mir noch nicht aufgefallen«, antwortete Gosseyn. Nun, da seine Aufmerksamkeit darauf gelenkt wurde, machte er einen schwachen Duft aus. Er fragte sich, ob es Patricias Parfüm sein mochte. Sie täte gut daran, auf solche kleinen Dinge zu achten. Er blickte den großen Mann gleichgültig an. »Was wollen Sie?«

Thorson machte weder Anstalten näherzukommen, noch

schloß er die Tür hinter sich. »Ich wollte Sie mir nur ansehen«, sagte er. »Und das habe ich jetzt getan.«

Er drehte um und ging. Die Tür fiel hinter ihm ins Schloß. Gosseyn blinzelte ihm ungläubig nach. Er hatte sich auf einen scharfen Wortwechsel gefaßt gemacht, und nun fühlte er sich betrogen. Er zog sich fertig an, erstaunt über das Verhalten des Mannes. Es war Zeit, daß Crang zurückkam. Eine Minute später hörte er, wie die äußere Tür erneut geöffnet wurde.

»Komme gleich!« rief er aus dem Schlafzimmer.

Er bekam keine Antwort. Kurz darauf verdunkelte ein Schatten die Türöffnung. Gosseyn blickte erschrocken auf. John Prescott kam ins Schlafzimmer. »Ich habe nur eine Minute Zeit«, sagte er.

Gosseyn schüttelte seinen Kopf. Die Eile seiner Besucher wurde allmählich ermüdend. Aber er sagte nichts und sah den anderen nur an.

»Es ist wegen meiner Frau«, sagte Prescott unruhig. »Sie weiß von alledem nichts. Ich habe mich auf die Farce eingelassen und den Mitgefangenen gespielt, weil ich glaubte, man würde sie nur bis zum Angriff auf die Venus festhalten. Aber vor ein paar Minuten erfuhr ich von Crang, daß X und Thorson in Verbindung mit Ihnen etwas mit ihr vorhaben.«

Mit leicht zitternden Fingern zog er eine kleine Metallschachtel aus der Tasche, öffnete sie und kam näher. Er hielt sie Gosseyn hin, der neugierig und verblüfft auf zwölf weiße Tabletten starrte, die darin waren.

»Nehmen Sie eine«, sagte Prescott.

Gosseyn hatte einen Verdacht, was kommen würde, aber er griff gehorsam in die Schachtel und nahm eine Tablette heraus.

»Schlucken Sie sie hinunter.«

Gosseyn schüttelte den Kopf. »Ich schlucke keine unbekannten Pillen.«

»Es ist zu Ihrem eigenen Schutz. Ich schwöre es. Ein Gegengift.«

»Ich habe kein Gift genommen«, sagte Gosseyn geduldig.

Prescott klappte die Schachtel zu. Er steckte sie ein, ging ein paar Schritte zurück und zog gleichzeitig eine Strahlpistole aus der Brusttasche. »Gosseyn«, sagte er mit erzwungener Ruhe, »ich bin ein verzweifelter Mann. Schlucken Sie die Pille oder ich brenne Sie nieder.«

Es war grotesk. Gosseyn blickte auf die Tablette in seiner

Hand, dann zu Prescott. »Im Nebenzimmer habe ich einen Lügendetektor gesehen«, sagte er friedfertig. »Das würde die Sache sehr schnell regeln.«

Und so war es auch. Prescott schaltete den Apparat ein und sagte: »Diese Tablette ist ein Gegengift, ein Schutz für Gosseyn, falls ich gewisse Schritte unternehme. Sage ich die Wahrheit oder nicht?«

Die Antwort war prompt und eindeutig. »Es ist wahr«, sagte das Instrument. Gosseyn schluckte die Pille und wartete auf einen Effekt. Als sich keiner einstellte, sagte er: »Hoffentlich kommt mit Ihrer Frau alles in Ordnung.«

»Danke«, war alles, was Prescott sagte. Er verließ den Wohnraum hastig durch die Tür zum Hauptkorridor. Gosseyn kämmte sich, bürstete flüchtig seinen Anzug ab und setzte sich, um auf Crang zu warten. Er war tiefer beunruhigt, als er sich selbst zugeben wollte. Von den Leuten, die zu ihm gekommen waren, hatte jeder seinen eigenen Zweck verfolgt. Aber eins hatten sie alle gemeinsam — die Überzeugung, daß eine Krise unmittelbar bevorstand.

Die Venus sollte angegriffen werden — von wem, war nicht ganz klar. Eine große galaktische Militärmacht? Das klang am wahrscheinlichsten. Mysteriöse Agenten, sinnlose Aktionen, Infiltration und zuletzt ein unwiderstehlicher Angriff aus dem Nichts. Die verschiedenen Hinweise auf eine Liga der galaktischen Mächte, die der Invasion ablehnend gegenüberstand, erschienen vage und substanzlos im Vergleich mit Tatsachen wie Thorsons Anwesenheit und den Schritten, die bereits unternommen worden waren. Mord. Betrug. Machtergreifung auf der Erde.

»Und ausgerechnet ich soll etwas dagegen tun!« sagte Gosseyn laut. Er lachte kurz auf, so lächerlich kam es ihm vor. Zum Glück schien sich das Problem seiner Identität allmählich zu entwirren. Für ihn war eine der gefährlichsten Perioden vorbei, die Zeit nämlich, als er nahe daran gewesen war, die Propaganda zu übernehmen, daß er in einem zweiten Gosseyn-Körper wieder zum Leben erwacht sei. Nach und nach befreite ihn seine Logik von dieser gefährlichen Vorstellung. Er konnte dem Abend mit einer gewissen inneren Gelassenheit entgegensehen.

Ein Klopfen an der Tür unterbrach seine unbehaglichen Erwägungen. Zu seiner Erleichterung war es Crang. »Fertig?« fragte der Mann.

Gosseyn nickte.

»Dann kommen Sie mit.«

Gosseyn folgte Crang die Treppe abwärts und einen schmalen Korridor entlang an eine verschlossene Tür. Crang sperrte sie auf. Gosseyn sah einen Marmorboden und Maschinen.

»Gehen Sie hinein und sehen Sie sich den Körper an.«

»Körper?« fragte Gosseyn neugierig. Dann begriff er. Körper!

Er vergaß Crang. Der Raum enthielt eine Anzahl Maschinen, Tische, Wandregale mit Flaschen und Gläsern aller denkbaren Formen. In einer Ecke lag ein längliches Etwas auf einem Tisch. Es war mit einem Laken zugedeckt. Gosseyn näherte sich der Gestalt immer zögernder, und ein beträchtlicher Teil seiner Gelassenheit begann von ihm abzufallen. Seit vielen Tagen hatte er von diesem seinem anderen Körper reden hören und sich mit logischen Argumenten zu beweisen versucht, daß es so etwas nicht geben könne. Aber hier . . .

Er fühlte die Luft kühl und trocken wie Asche in seinem Mund. Und ohne sich der Bewegung bewußt zu sein, ging er zu der aufgebahrten Gestalt, faßte das Laken mit den Fingerspitzen und zog es herunter.

14

Gosseyn hatte erwartet, einen bis zur Unkenntlichkeit verbrannten und verstümmelten Leichnam zu sehen. In mancher Hinsicht war der Körper, der da auf dem Rücken vor ihm lag, furchtbar entstellt. Der Leib war von den Maschinengewehrgarben fast in zwei Teile zertrennt. Brust und Bauch waren wenig mehr als Fetzen aus Fleisch und Knochen, und oberhalb der Knie war alles so entsetzlich verbrannt, daß eine Menschenähnlichkeit nur gemutmaßt werden konnte. Das Gesicht indes war intakt.

Es war ein ruhiges Antlitz, unberührt von der Todesangst und den unerträglichen Schmerzen jener letzten Augenblicke. Wäre der zerstörte Körper nicht gewesen, hätte es ausgesehen, als ob er selbst schlafend daläge. Nach einem Moment sah Gosseyn, daß das Schädeldach sauber abgesägt und mit Klebestreifen wieder angebracht war. Ob das Gehirn noch an Ort und Stelle war, versuchte Gosseyn nicht festzustellen.

Ein Geräusch hinter ihm ließ ihn aufmerken. Er richtete sich langsam auf und wandte sich um. Eisig starrte er den monströsen X an, der sich in einem Rollstuhl hereingefahren hatte. Er fühlte die kalte Entschlossenheit eines Mannes, der auf alles gefaßt ist. Hinter X kamen der distinguierte Hardie, der zynisch lächelnde Riese Thorson und schließlich Patricia Hardie, die ihn kühl und zugleich interessiert beobachtete.

»Ich glaube, Gosseyn«, sagte X mit seiner Baßstimme, »daß Sie nicht die leiseste Ahnung haben, wie Sie uns daran hindern wollen, Sie neben Ihren anderen Körper zu legen.«

Es war keine brillante Analyse, aber es war die Wahrheit. X winkte seinen Plastikarm in einer ungeduldigen Gebärde. »Aber das nur nebenbei«, dröhnte er. »Bringt die Prescott-Frau und haltet Gosseyn fest.«

Vier Wachen kamen und postierten sich um Gosseyn; zwei neben ihm und zwei hinter ihm. Die Männer zu seinen beiden Seiten hielten seine Arme fest. Zugleich brachten drei weitere Wachen Amelia Prescott herein. Anscheinend hatte die Frau Widerstand geleistet; ihr Haar war aufgelöst, ihr Gesicht gerötet. Ihre Hände waren mit Handschellen auf den Rücken gefesselt, und sie atmete schwer. Offenbar hatte sie einen Plastikknebel im Mund, denn als sie Gosseyn sah, begannen ihre Lippen zu arbeiten, und sie stieß unverständliche Laute aus. Schließlich gab sie achselzuckend auf.

X beobachtete Gosseyn. »Sie haben uns in ein Dilemma gebracht, Gosseyn«, sagte er. »Aktionen in einem Ausmaß sind angelaufen, wie sie seit dem dritten Weltkrieg nicht mehr gesehen wurden. Wir haben neuntausend Raumschiffe, vierzig Millionen Soldaten und gigantische Munitionsfabriken aufgeboten, und doch ist alles das nur ein Bruchteil der militärischen Macht des größten Imperiums, das es je gegeben hat. Wir können nicht verlieren, Gosseyn.«

Er machte eine Pause und fuhr fort: »Nichtsdestoweniger ziehen wir es vor, sicherzugehen. Wir möchten Sie, die unbekannte Größe, einladen, sich als einer der höchsten Führer im Sonnensystem mit uns zusammenzutun. Sie werden verstehen, daß eine solche Zusammenarbeit sinnlos wäre, wenn sich herausstellen würde, daß Sie nicht gewillt sind, die Realitäten anzuerkennen. Wir müssen rücksichtslos vorgehen. Wir müssen töten. Töten überzeugt die Leute wie nichts sonst.«

Einen Augenblick dachte Gosseyn, er wolle Amelia Prescott

töten, dann erkannte er sein Mißverständnis. »Töten?« fragte er. »Wen?«

»Etwa zwanzig Millionen Venusianer«, antwortete X. »Sie müssen wissen«, erklärte er, »daß der einzige Unterschied zwischen zwanzig Toten und zwanzig Millionen Toten die Wirkung auf die Gefühle der Überlebenden ist. Gute Propaganda wird dafür sorgen.«

Gosseyn hatte das Gefühl, auf dem Grund eines Brunnens zu stehen und langsam weiter abzusinken. »Und was«, hörte er seine Stimme hohl aus der Tiefe klingen, »soll mit den restlichen zweihundertzwanzig Millionen Venusbewohnern geschehen?«

»Terror«, sagte X in seiner Baßstimme, »gnadenloser Terror gegen jene, die Widerstand leisten. Die Geschichte lehrt uns, daß es nie schwierig gewesen ist, die Masse eines Volkes unter Kontrolle zu bringen, wenn einmal der Kopf abgeschnitten ist. In unserem Fall handelt es sich um ein ganzes Kollektiv führender Köpfe, daher die große Zahl der notwendigen Exekutionen.« Sein Plastikarm machte eine abschließende Geste. »Und nun, Gosseyn«, sagte er schroff, »entscheiden Sie sich. In Ihrer späteren Position werden Sie eine Menge Reorganisationsarbeit leisten können, aber zuvor müssen Sie uns die Voraussetzungen dafür schaffen lassen. Sind wir uns einig?«

Die Frage erschreckte Gosseyn. Er verstand erst jetzt, daß diese Argumente den Zweck hatten, ihn zu überzeugen. Diese Leute waren auf die Idee von Massenhinrichtungen eingeschworen. Er war es nicht. Diese Kluft war unüberbrückbar, weil jede Seite den Gesichtspunkt der anderen für unlogisch hielt. Mit vor Empörung bebender Stimme sagte er: »Nein, Mr. X, nichts zu machen. Und mögen Sie alle für den bloßen Gedanken an ein solches Morden in der Hölle brennen.«

»Thorson«, sagte X unbewegt, »töten Sie die Frau.«

Gosseyn fragte stumpfsinnig: »Was?«

Dann schleppte er seine Wachen drei oder vier Meter mit sich, bevor sie ihn halten konnten. Als er wieder sehen konnte, lächelte Amelia Prescott. Sie wehrte sich nicht, als Thorson ihr eine Injektionsspritze in den Oberarm stieß, aber sie fiel wie ein Stein. Der Riese fing sie mit Leichtigkeit auf, verabfolgte ihr den Rest der Spritze und legte sie auf den Boden. »Sehen Sie, Gosseyn«, sagte X, »wir sind Non-Aristotelikern gegenüber im Vorteil. Während sie bei all ihrem Tun von Skrupeln verfolgt sind, haben wir nur den Willen zum Sieg. Nun, dieser kleine Zwischenfall sollte Ihnen zeigen ...«

Er verstummte. Ein staunender Ausdruck verformte sein Gesicht. Er versuchte sich aus seinem Rollstuhl zu erheben und sank langsam vornüber auf den Marmorboden. Hardie griff sich an die Kehle und machte ein ähnlich verblüfftes Gesicht, dann brach er in die Knie und kippte seitwärts. Auch die Wachen fielen. Zwei oder drei von ihnen zupften noch im Liegen mit erstarrenden Fingern an ihren Pistolen, dann rührten sie sich nicht mehr.

Thorson brach neben Amelia Prescott zusammen. Nicht weit von ihm schlug Patricia Hardie lang hin. Gosseyn blieb als einziger inmitten seiner gefällten Gegner stehen.

15

Die Lähmung des ersten Schrecks war nur von kurzer Dauer. Gosseyn bückte sich und nahm einem der wie tot daliegenden Wächter die Maschinenpistole ab. Die Waffe schußbereit mit beiden Händen umklammernd, stand er gespannt da und wartete auf eine Bewegung, aber keiner der Gefallenen regte sich.

Gosseyn begann die Wachen hastig zu entwaffnen. Welchen Gründen er diese günstige Gelegenheit auch immer verdanken mochte, es war keine Zeit zu verlieren. Er mußte von hier verschwinden. Jemand könnte kommen.

Aber dann kam ihm ein anderer Gedanke. Waren sie wirklich tot? Er warf sich neben X auf die Knie und legte eine Hand auf das Plastikkorsett. Die körperwarme, glatte und harte Oberfläche erzeugte einen so heftigen Widerwillen in ihm, daß er die Hand entsetzt wegriß. Er zwang sich, sein Ohr über das Gesicht zu halten und zu lauschen. Schwacher, rhythmischer Atemhauch badete sein Ohr in Wärme. Gosseyn richtete sich auf. X war am Leben. Sie mußten alle am Leben sein.

Er wollte eben aufstehen, als an einer der Türen ein Geräusch laut wurde. Er warf sich auf den Bauch und brachte die Maschinenpistole in Anschlag. Wie er so dalag, die Augen zu Schlitzen zusammengekniffen, verwünschte er sich selbst. Hätte er sofort reagiert, wäre er inzwischen längst aus dem Raum.

Die Tür sprang auf, und John Prescott kam herein.

Gosseyn krabbelte auf die Füße. Seine Knie zitterten etwas. Prescott grinste ihn nervös an. »Sind Sie nicht froh, daß Sie das Gegengift genommen haben?« fragte er. »Ich habe Anästhesiepulver in die Klimaanlage getan, und Sie sind der einzige, der . . .« Er brach ab. »Was ist los? Komme ich zu spät?«

Das war eine rasche Diagnose. Gosseyn sagte grimmig: »Prescott, Ihre Frau bekam eine Injektion in den Arm, bevor das Pulver wirkte. Das Zeug sollte sie töten.«

Nun, da die seltsame Bewußtlosigkeit dieser Leute erklärt war, war Zeit für eine Untersuchung. Wenn das anästhetische Pulver durch die Klimaanlage verbreitet worden war, mußte es im ganzen Palast seine Wirkung getan haben. Als einzige Gefahr blieb, daß jemand von draußen käme. Gosseyn sah zu, wie Prescott die Herztöne seiner Frau abzuhören versuchte, dann eine kleine Flasche aus der Tasche zog. Der Stöpsel der Plastikflasche war mit einer kleinen Injektionsnadel versehen. Prescott stieß die Nadel in ihren Schenkel und blickte auf.

»Das Zeug enthält unter anderem Fluoreszin«, erläuterte er. »Wenn sie am Leben ist, werden ihre Lippen sich in einer Minute oder so grünlich verfärben.«

Nach zwei Minuten waren die Lippen der Frau immer noch blaß. Der Mann stand langsam auf, starrte sie eine Weile an und blickte dann suchend umher. Und das Seltsame war, daß Gosseyn keinerlei Vorahnung hatte. Er sah Prescott langsam zu dem Haufen der Waffen gehen, die er eingesammelt hatte, und sorgfältig zwei davon aussuchen. Das war der dominierende Eindruck, die Sorgfalt, mit der der Mann diese Waffen prüfte.

Was nun folgte, geschah so schnell, daß kein Eingreifen möglich war. Prescott ging zurück und feuerte eine Kugel in X's rechtes Auge. Blut strömte über das kantige Gesicht, breitete sich über Kinn und Hals aus. Prescott war schon weitergegangen, hielt die Mündung der Pistole gegen Hardies Stirn und feuerte wieder. Dann sprang er gebückt von einem der Wächter zum anderen und drückte wieder und wieder ab. Als das Magazin der Pistole leergeschossen war, warf er sie weg und feuerte mit der zweiten. Erst als er zu Thorson kam, hielt er inne. Ein bestürzter Ausdruck kam in sein Gesicht. Der anfangs schreckerstarrte Gosseyn sprang ihn an und riß ihm die Waffe aus der Hand.

»Idiot!« schrie Gosseyn. »Verrückter Teufel! Wissen Sie, was Sie da getan haben?«

Eine Stunde später, als sie ihren gestohlenen Wagen inmitten der nebelverhangenen Stadt stehenließen und die Nacht um sie her wie grauschwarze Watte war, hörten sie die erste Nachricht aus einem öffentlichen Lautsprecher brüllen.

»Achtung! Achtung! Es folgt eine wichtige Meldung aus dem Palast des Präsidenten!«

Das war eine Stimme. Eine andere, strengere Stimme übernahm das Mikrophon.

»Es ist meine traurige Pflicht, bekanntzugeben, daß Präsident Michael Hardie heute abend von einem Mann, der unter dem Namen Gilbert Gosseyn bekannt ist, ermordet wurde. Gosseyn ist ein Agent der Maschine. Die Ungeheuerlichkeit der Verschwörung gegen das Volk der Erde beginnt erst Konturen anzunehmen. Gosseyn, der bei seiner Flucht von sogenannten venusianischen Detektiven unterstützt wurde, wird von den Fahndungsorganen und alarmierten Armee-Einheiten verfolgt. Alle gesetzestreuen Bürger werden hiermit aufgefordert, ihre Häuser nicht zu verlassen. Wer auf den Straßen angetroffen wird, hat sich etwaige Unannehmlichkeiten wie vorübergehende Festnahme und Verhöre selbst zuzuschreiben.«

Die Erwähnung der Maschine war es, die Gosseyn die ganze Tragweite jenes überstürzten Blutgerichts zu Bewußtsein brachte. Die Erklärung, er sei ihr Agent, zusammen mit dem Versuch, venusianische Detektive mit in die Sache zu verwickeln, stellte den ersten öffentlichen Angriff gegen das geheiligte Symbol des Null-A dar, den er je gehört hatte. Hier war die Kriegserklärung.

Der Nebel war so dicht, daß Gosseyn Prescott, der zwei Meter neben ihm stand, nur als Schatten sehen konnte. Radar- und Infrarotgeräte konnten den Nebel natürlich durchdringen, als ob er nicht da wäre, aber ihr Einsatz erforderte Transportmittel. In einer nebligen Nacht wie dieser war er sicher, solange er nicht einer Streife in die Arme lief. Zum erstenmal, seit die Ereignisse ihn überrollt hatten, war er ein freier Mann, der seinen eigenen Entscheidungen folgen konnte. Frei, das hieß, mit einer Einschränkung.

Er drehte den Kopf und starrte Prescott an, Prescott, der noch immer der unbekannte Faktor war. Vorwürfe waren selbstverständlich zwecklos, aber es war schwierig, zu entscheiden, was er mit dem Mann machen sollte. Prescott hatte ihm zur Flucht verholfen. Prescott wußte vieles, was für ihn wichtig sein konnte. Aber nicht jetzt, nicht heute nacht. Jetzt gab es ein anderes, dringenderes Vorhaben. Doch auf lange Sicht konnte Prescott von großer Bedeutung für ihn sein. Wenn möglich, mußte er versuchen, diesen galaktischen Null-A-Konvertiten als Gefährten bei sich zu behalten. Eilig erläuterte Gosseyn seine Idee.

»Ein Psychiater — und es darf keiner sein, mit dem ich schon zuvor Verbindung hatte — ist der erste Mann auf meiner Liste. Nichts ist so wichtig wie herauszubringen, was in meinem Gehirn alle anderen erschreckt hat.«

»Aber er wird unter dem Schutz seiner Sicherheitsgruppe sein«, meinte Prescott unbehaglich.

Gosseyn lächelte tolerant in die Nacht. »Prescott«, sagte er, »ich stecke schon eine ganze Weile in diesem Schlamassel. Ich war wie ein verstörtes Kind und habe furchtsam die Befehle anderer befolgt. Zuerst möchte ich, daß Sie in eine Videophonzelle gehen und die Adresse von Dr. Lauren Kair nachschlagen. Er ist mir als Autor einiger Fachbücher bekannt. Wenn er nicht da sein sollte, ist mir jeder andere Psychiater recht, ausgenommen Dr. David Lester Enright, mit dem ich einmal eine Verabredung hatte.«

Prescott sagte: »In fünf Minuten bin ich zurück.«

»Nein, nein«, erwiderte Gosseyn schnell. »In dieser Tinte sitzen wir beide zusammen, jeder als Bewacher des anderen. Ich warte draußen und achte auf Streifen.«

Dr. Kairs Haus lag wie ein weißlicher Klecks im Nebel. Über der Haustür warf eine Lampe blassen Lichtschein, und aus einem Fenster drang ein trüber Schimmer, was darauf schließen ließ, daß die Familie zu Haus war. Sie schwangen sich wie geisterhafte Schemen über den Gartenzaun. Als sie hinter einer Hecke verharrten, um in die Nacht zu horchen, wisperte Prescott: »Sind Sie sicher, daß Dr. Kair der richtige Mann ist?«

»Ja. Seine Bücher haben ihm großes Ansehen verschafft.«

Gosseyn erläuterte flüsternd seinen Plan. Prescott sollte an die Tür gehen, läuten und sich als Venusianer vorstellen. Zweifellos würde Dr. Kair die Gruppenwarnung auslösen und seine Nachbarn munter machen, bevor er ihn einließ, aber das war unwichtig. Prescotts Anästhesiepulver würde ihnen im Notfall einen Fluchtweg öffnen.

Eine halbe Minute später stand Prescott an der Tür und läutete.

Der Nebel trieb mit ihnen durch die offene Haustür. In stillschweigendem Einverständnis ließen sie sie halb offen; so blieb ihnen die Nacht und mit ihr die Sicherheit näher. Für Gosseyn, der sich auf keine vermeidbaren Risiken mehr einlassen wollte, war diese halb geöffnete Tür der Unterschied zwischen Ruhe und Unbehagen.

Dr. Kair war ein stämmiger Mann von etwa fünfzig Jahren, mit einem glattrasierten, energischen Gesicht. Als Gosseyn hereinkam, musterte der Arzt ihn aus durchdringenden grauen Augen. Gosseyn ertrug den Blick geduldig. In diesen ersten Augenblicken durfte er nichts überstürzen; was jetzt Minuten kostete, konnte später Stunden einsparen.

Doch der Psychiater verschwendete keine Zeit. Sobald Gosseyn den Zweck şeines Kommens erläutert hatte, verschwand der Arzt in einem Nebenraum und kam unmittelbar darauf wieder zum Vorschein, einen kleinen Lügendetektor vor sich her schiebend.

»Mr. Gosseyn«, sagte er, »kein gebildeter Mensch wird auch nur für einen Moment glauben, was das Informationsbüro der Regierung heute abend an Meldungen über Präsident Hardies Ermordung verbreitet hat. In meinem ganzen Leben habe ich noch nie etwas gehört, das so darauf angelegt war, die Gefühle der Unwissenden und der großen Masse der Halbgebildeten aufzuputschen. Hinter diesen haltlosen Angriffen gegen Venusianer und gegen die Maschine steht zweifellos eine ganz bestimmte Absicht. Sind Sie bereit, Ihre Angaben vor einem Lügendetektor zu wiederholen?«

»Ich bin zu allem bereit«, antwortete Gosseyn, »vorausgesetzt, ich brauche das Bewußtsein nicht zu verlieren. Sicher werden Sie dafür Verständnis haben.«

Der Arzt verstand. Und in allen folgenden Untersuchungen gab es keinen Augenblick, wo Gosseyn nicht Herr seiner selbst gewesen wäre. Während ein Test auf den anderen folgte, erzählte er seine Geschichte. Zum Schluß fragte Dr. Kair scharf: »Dann haben Sie selbst gar keinen von diesen Männern getötet?«

Prescott blickte auf. »Nein, ich war derjenige, der es getan hat.« Er lachte grimmig. »Wie Sie aus dem, was Gosseyn sagte, entnehmen konnten, bin ich ein Mensch, der zwischen Null-A und seiner Position entscheiden mußte. Wenn man mich vor Gericht bringt, werde ich auf zeitweilige Unzurechnungsfähigkeit plädieren müssen.«

Dr. Kair betrachtete ihn mit hochgezogenen Brauen. »Unzurechnungsfähigkeit«, sagte er, »ist bei einem Null-A noch nie anerkannt worden. Da werden Sie sich eine bessere Geschichte ausdenken müssen.«

Geschichte! dachte Gosseyn und sah Prescott an — sah den Mann zum erstenmal wirklich aufmerksam an.

Prescotts Augen waren verkniffen und beobachteten ihn. Seine rechte Hand schob sich wie unabsichtlich in seine rechte Rocktasche, wo er eine Pistole hatte. Es mußte eine unbewußte Bewegung sein; er konnte nicht im Ernst auf ein Gelingen hoffen, denn Gosseyn kam ihm mit Leichtigkeit zuvor.

»Ich würde sagen«, erklärte Gosseyn einen Moment später, nachdem sie den Mann entwaffnet hatten, »daß das Haus umstellt ist.«

16

Das menschliche Nervensystem ist von einer überaus komplexen Struktur. Man schätzt die Zahl der Nervenzellen oder Neuronen im menschlichen Gehirn auf zwölftausend Millionen, von denen mehr als die Hälfte im Kortex liegen. Nehmen wir an, daß eine Million Nervenzellen untereinander in Gruppen von jeweils nur zwei Neuronen verbunden sind und berechnen danach die Zahl der möglichen Kombinationen, so kommen wir auf einen Wert von 10^{273} für die Zahl der möglichen interneuronischen Schaltungen. Im Vergleich dazu enthält das gesamte bekannte Universum nicht mehr als 10^{66} Atome.

A. K.

Das Licht, das durch die Öffnung der Haustür ins Freie drang, stellte im Moment ihren besten Schutz dar. Solange es dabei blieb, würden die Beobachter draußen nur einen im Nebel verschwimmenden Lichtbalken sehen, und alles würde ihnen unverändert erscheinen. Natürlich würde ihre Geduld Grenzen haben.

Gosseyn und Dr. Kair fesselten Prescott an Händen und Füßen und zwängten ihm einen Knebel in den Mund, alles mit einer Schnelligkeit, die auch vor rauher Behandlung nicht haltmachte. Dann besprachen sie die nächsten Schritte.

»Er war nicht draußen«, bemerkte Gosseyn, »aber er muß auf irgendeine Weise Kontakt mit seinen Vertrauensleuten hergestellt haben.«

Dr. Kair sagte: »Ich glaube nicht, daß wir uns im Moment darüber Sorgen machen sollten.«

»Was?«

Des Arztes Gesicht war unbewegt, seine grauen Augen ernst. »Was ich bei Ihnen entdeckt habe«, sagte er, »kommt zuerst. Sie scheinen nicht zu begreifen, Gosseyn, daß Sie die wichtige Person in diesem ganzen Spiel sind. Was Sie in Ihrem Kopf haben, ist nicht ein zusätzliches Gehirn in dem Sinne, daß Sie nun ein höheres Intelligenzpotential besäßen. Das ist nicht möglich.«

Während der Arzt dozierte, durchsuchte Gosseyn den gefesselten Prescott. Nichts entging seinen Augen und Fingern. Die Taschen ergaben eine Ausbeute von einer Pistole und einem Energiestrahler, einer Schachtel Munition, einer Schachtel Anästhesiepulver, einer Dose jener ominösen Gegengift-Tabletten, von denen Gosseyn bereits eine erprobt hatte, und einem Notizbuch. Mit dem Tascheninhalt gab er sich nicht zufrieden, sondern untersuchte den Stoff selbst. Das Material war Plastikgewebe, eine billige Qualität von der Art, die man einige Male trug und dann wegwarf.

An der Seite des rechten Schuhabsatzes entdeckte er das gedruckte Instrument. Es war ein elektronisches Ortungsgerät, das in die Plastikmasse des Absatzes eingebaut und nur an der fotografisch verkleinerten und gedruckten Schaltung zu erkennen war. Gosseyn seufzte. Es war gut zu wissen.

Auch der Arzt war nicht untätig geblieben, während er die Ergebnisse seiner Untersuchungen erläuterte. Röntgenaufnahmen, die beschriebenen Karten aus dem Enzephalographen und anderes Material wanderten in eine lederne Mappe. Er öffnete Apparate und entnahm ihnen Filmrollen, Lochstreifen und Magnetbänder. Fast jeden Gegenstand erklärte er kurz, während er ihn einpackte.

»Dies beweist, daß das neue Gehirn nicht aus Kortexzellen

besteht ... und dies, daß die Zellen nicht thalamisch sind. Hier sehen Sie einige der Hauptkanäle, durch die es mit dem Rest des Gehirns verbunden ist ... Keine Anhaltspunkte, daß irgendwelche Impulse von der neuen grauen Masse ausgehen oder empfangen werden.«

Zuletzt schnappte er seine Mappe zu und blickte auf. »Die Untersuchungsergebnisse zeigen, Gosseyn, daß diese zusätzliche Masse, die Sie da haben, weniger einem Gehirn als vielmehr einem der großen Kontrollsysteme gleicht, wie wir sie im Hauptnervensystem des Rückgrats haben. Allerdings ist die Zahl der hier konzentrierten Zellen sehr hoch; ihre Masse macht etwa ein Drittel Ihrer gesamten gegenwärtigen Gehirnkapazität aus. Sie haben genug Kontrollmechanismen in Ihrem Kopf, um atmore oder elektronische Operationen im Mikrokosmos durchzuführen, und unsere normale Umwelt bietet einfach nicht genug Objekte, um das volle Potential auszunützen.«

»Gibt es keine Möglichkeit«, fragte Gosseyn mit gepreßter Stimme, »daß ich lernen kann, dieses neue Gehirn im Lauf der nächsten Stunde zu integrieren?«

Die Antwort war ein ernstes Kopfschütteln. »Weder in einer Stunde, noch in einem Tag oder einer Woche. Haben Sie jemals von George gehört, dem Jungen, der unter Tieren aufwuchs?

George lief mit zwei Jahren von der Farm seiner Eltern weg und verlor sich in der Wildnis der buschüberwachsenen Vorberge. Irgendwie fand er seinen Weg in das Lager einer verwilderten Schäferhündin, die gerade einen Wurf Welpen auf die Welt gesetzt hatte. Die Hündin nahm das Kind an, vielleicht in einer vagen Erinnerung an ihre früheren menschlichen Herren.

Später jagte sie für den Jungen und brachte erlegte Tiere, aber George mußte oft Hunger gelitten haben, denn zu der Diät des Jungen gehörten Ameisen, Würmer, Käfer und alles, was sich bewegte und Leben hatte, als er mit elf Jahren gefangen wurde, ein mißtrauisches wildes Tier, genauso wild wie das Rudel der wilden Hunde, mit denen er gelebt hatte.

Grunzlaute, Knurren, Zähneblecken und ein recht passables Bellen — das war seine Sprache. Soziologen und Psychologen erkannten die Gelegenheit, die er ihnen bot, und versagten hoffnungslos bei ihren Versuchen, ihn zu erziehen. Fünf Jahre nach seiner Gefangennahme hatte er gelernt, das Alphabet zu schreiben, seinen Namen und die einiger Gegenstände auszusprechen, sonst nichts. Sein Aussehen blieb tierhaft. Er war launisch, und rasch glühte Haß in seinen Augen auf, um ebenso unvermittelt wieder zu schwinden. Er ließ sich häufig auf alle viere nieder und bewegte sich so mit erstaunlicher Sicherheit und Schnelligkeit. Noch nach fünf Jahren unter Menschen war seine Kenntnis des Waldes und seiner Bewohner vollkommen. Tierfährten, selbst wenn sie Stunden alt waren, konnten ihn in eine solche Erregung versetzen, daß er auf und nieder sprang und winselte.

Er starb mit dreiundzwanzig Jahren, immer noch ein Tier, eine früh gealterte Kreatur, die im Bett ihrer gepolsterten Zelle kaum wie ein Mensch aussah. Eine Obduktion ergab, daß sein Kortex sich nicht voll entwickelt hatte, aber in genügend ausgebildeter Größe vorhanden war, um die Annahme zu rechtfertigen, daß er unter normalen Umständen durchaus funktionsfähig hätte werden können.

Mit unseren heutigen Kenntnissen über das Gehirn hätten wir George zu einem Menschen machen können, aber ich glaube, Sie werden mir zustimmen, wenn ich sage, daß sein Fall und der Ihre einander ähnlich sind, mit einem Unterschied — Sie fangen als Mensch an.«

Gosseyn schwieg, und der Psychiater fuhr fort: »Wenn Sie eine echte Mutation sind, der Mensch, der nach dem Menschen kommt, und sollte es auf die Entscheidung hinauslaufen, Sie zu retten und diese galaktische Armee eine friedliche Zivilisation überfallen zu lassen, dann können Sie sicher sein, daß ich mich für Ihre Sicherheit entscheiden werde.« Er lächelte grimmig. »Und sie sollen ihre Gelegenheit haben, herauszufinden, ob Null-A so ohne weiteres ausgelöscht werden kann.«

Gosseyn fand seine Stimme. »Aber die Venusianer wissen nichts. Sie ahnen nicht einmal, was auf sie zukommt.«

»Das«, erklärte Dr. Kair, »zeigt mit aller Deutlichkeit, welches unser nächster Schritt sein muß. Unsere Zukunft hängt davon ab, ob wir vor Einsetzen der Dämmerung aus diesem Haus entkommen können oder nicht. Und das wiederum bringt uns zu unserem Freund hier auf der Couch zurück.«

17

In unseren Nervenprozessen kopieren wir Tiere... Beim Menschen führen solche Nervenreaktionen zum Nichtüberleben, zu pathologischen Formen des Infantilismus, infantilem Verhalten... und je weiter die technische Entwicklung einer Nation oder Rasse fortgeschritten ist, desto grausamer, rücksichtsloser, raubgieriger und kommerzialisierter werden ihre Systeme... und alles das, weil wir fortfahren wie Tiere zu denken und nicht gelernt haben, folgerichtig wie menschliche Wesen zu denken.

A. K.

Prescott lag auf der Couch und beobachtete sie. Das starke Licht färbte sein blondes Haar fast weiß. Trotz des voluminösen Knebels in seinem Mund lauerte ein schwaches Lächeln um seine Mundwinkel.

Gosseyn sagte angeekelt: »Wissen Sie, Doktor, wir haben es hier mit einem völlig gefühlskalten Individuum zu tun. Dieser Mann erlaubte, daß seine Frau im Rahmen eines Plans ermordet wurde, der mich von seiner Verläßlichkeit überzeugen sollte. Was mich irreführte, war, daß er einmal Anhänger der Null-A-Philosophie gewesen ist. Daher nahm ich an, daß er X und Hardie aus Rachegefühlen für den Tod seiner Frau erschossen habe. Aber ich erinnere mich jetzt, daß er eine Pause machte, bevor er zu Thorson kam, und mir damit Zeit gab, ihn zu entwaffnen. Mit anderen Worten: er brachte die beiden Erdbewohner um, die das galaktische Imperium als Aushängeschilder und Strohmänner verwendet hatte. Damit ist die Regierungsgewalt ganz in die Hände der Galaktiker übergegangen. Und dann sind da noch die Spiele. Sollten die diesjährigen Spiele nicht einen Nachfolger für den Präsidenten Hardie hervorbringen? Wer liegt bisher an der Spitze? Wer hat am meisten Chancen, zu gewinnen?«

Kair hob die Schultern. »Ein Mann namens Thorson.« Er hielt inne und schlug sich die flache Hand vor die Stirn. »Wissen Sie«, sagte er langsam, »als Sie den Namen erwähnten, brachte ich ihn nicht gleich in den richtigen Zusammenhang. Aber hier haben Sie Ihre Antwort.«

Gosseyn sagte nichts. Ein Gedanke ging ihm durch den Kopf, der ihn fröstelnd machte. Er hatte nur wenig mit der Tatsache zu tun, daß Jim Thorson, der persönliche Vertreter eines galaktischen Herrschers, nächster Präsident der Erde sein würde. Der Gedanke hatte mit der Maschine zu tun. Sie hatte ihre Nützlichkeit überlebt. Nun, da sie sich als verwundbar erwiesen hatte, würde sie nie wieder uneingeschränkt vertrauenswürdig sein können.

Es war schwer, sich die Erde ohne die Maschine und die Spiele vorzustellen.

Dr. Kair sagte freundlich: »Alles das ist jetzt unwichtig. Wir haben unsere eigenen Probleme. Wie ich es sehe, muß einer von uns als Prescott verkleidet hinausgehen und die Situation prüfen.«

Gosseyn nickte. »Was ist mit Ihrer Frau?« fragte er. »Ist sie hier? Und Kinder? Haben Sie Kinder?«

»Drei, aber nicht hier. Auf der Venus geborene Kinder können die Erde erst mit achtzehn Jahren besuchen. Augenblicklich ist meine Frau mit ihnen in Adanya, Venus.«

Sie lächelten einander an. Sie waren allein mit ihrem großen Problem. Ohne Diskussion kamen sie überein, daß Dr. Kair hinausgehen und mit den Agenten der Verschwörer Verbindung aufnehmen sollte. Sein weißes Haar und seine äußere Erscheinung gaben ihm eine gewisse oberflächliche Ähnlichkeit mit Prescott, die im Dunkeln genügen mußte. Prescotts Schuhe, obwohl eine Nummer zu klein, paßten dem Arzt zur Not. Es erschien ihnen klug, die Schuhe zu verwenden, in denen das Miniatur-Ortungsgerät versteckt war. Prescotts Stimme zu imitieren, war relativ einfach. Der Psychiater hatte sich in seinem Beruf ein feines Gehör für die Sprechweise und den Tonfall anderer Menschen erworben und beherrschte die Imitation nach fünf Minuten.

»Und nun«, sagte Gosseyn mit stahlharter Stimme, »werden wir von ihm selbst die Einzelheiten seiner Vereinbarungen mit den Freunden draußen erfahren.«

Er beugte sich über Prescott und nahm ihm den Knebel aus dem Mund. Vielleicht lag es an seiner drohenden Haltung, oder vielleicht überzeugte Prescott die Überlegung, was er selbst unter ähnlichen Umständen getan haben würde, um Informationen zu erhalten. Welches auch immer der Grund sein mochte, er sagte sofort und unaufgefordert: »Es macht mir nichts aus, Ihnen zu sagen, daß ein Dutzend Männer das Haus umstellt haben und angewiesen sind, Ihnen zu folgen, nicht, Sie zu verhaften. Ich sollte etwa um diese Zeit hinausgehen und sie wissen lassen, daß alles in Ordnung sei. Das Kennwort ist ›Venus‹. Mehr weiß ich nicht zu sagen.«

Gosseyn nickte dem Arzt zu. »In Ordnung, Dr. Kair«, sagte er. »Ich erwarte Sie in fünf Minuten zurück. Wenn Sie bis dahin nicht gekommen sind, werde ich meine Bedenken überwinden und Prescott eine Kugel durch den Kopf jagen.«

Der Arzt lachte kurz und ohne Humor. »Vielleicht wäre es gut, wenn ich sechs oder sieben Minuten ausbliebe.«

Sein Lachen verklang, als er sich der Haustür näherte. Sie bewegte sich kaum, als er durch die Öffnung schlüpfte. Dann war er in Nacht und Nebel verschwunden.

Gosseyn blickte auf die Uhr. »Es ist jetzt zehn Minuten nach vier«, sagte er zu Prescott und zog seine Pistole.

Winzige Schweißtröpfchen standen auf Prescotts Stirn. Sie gaben Gosseyn eine Idee. Er schaute wieder auf seine Uhr. Der Sekundenzeiger, der eben noch auf zehn gestanden hatte, zeigte jetzt auf fünf. Fünfunddreißig Sekunden waren vergangen. »Eine Minute«, sagte Gosseyn.

Prescotts Stimme kam leise und heiser. »Wenn Kair nicht ein selbstmörderischer Dummkopf ist, wird er in fünf Minuten wieder hier sein, aber der Kontaktmann da draußen ist ein gesprächiger Idiot. Berücksichtigen Sie das und überstürzen Sie nichts.«

Als zwei Minuten vergangen waren, schwitzte Prescott sichtlich stärker als zuvor. »Drei Minuten«, sagte Gosseyn mit steinerner Miene.

»Ich habe die Wahrheit gesagt«, protestierte Prescott. »Warum sollte ich auch nicht? Sie können uns auf die Dauer nicht entkommen. Eine Woche, zwei Wochen, drei Wochen — was spielt das für eine Rolle? Nach Kairs Worten sind Ihre Chancen, innerhalb kurzer Zeit diesen Extrateil Ihres Gehirns unter Kontrolle zu bringen, gleich Null. Und genau das ist es, was wir herausbekommen wollten.«

»Vier Minuten!« sagte Gosseyn, obwohl erst zweieinhalb vergangen waren.

Das erschreckte Prescott. Gosseyn beobachtete ihn scharf. Wenn es in Prescotts Geist eine schwache Stelle gab, würde sie jetzt bald brechen.

»Noch ein Grund, warum ich die Wahrheit gesagt habe«, rief Prescott, »ist, daß ich nicht mehr glaube, irgend jemand könnte die interplanetarischen Operationen stören, die jetzt anlaufen. Nicht einmal ein Übermensch. Die Organisation war gerade in Ihrem Fall übervorsichtig.«

Wieder blickte Gosseyn auf die Uhr. Nach dem beschleunigten Zeitablauf, der Prescotts Nervensystem unter Druck setzen sollte, waren die fünf Minuten jetzt abgelaufen. Es war ein Fehler gewesen, dachte er. Durch die Verkürzung der Frist hatte er Prescott nicht genug Zeit gelassen, sich wirklich aufzuregen. Doch nun war es zu spät, um den Ablauf zu verlangsamen. Wenn der Mann zusammenbrechen sollte, war jetzt der richtige Augenblick gekommen.

»Die fünf Minuten sind um«, sagte er entschlossen. Er hob die Pistole. Prescotts Gesicht war rot und wie erhitzt, aber er schwieg. Gosseyn fügte schneidend hinzu: »Ich gebe Ihnen noch eine Minute, Prescott. Und wenn Sie bis dahin nicht reden, oder wenn Kair bis dahin nicht zurück ist, sind Sie ein toter Mann. Was ich wissen möchte, ist folgendes: Wo haben X und die Verschwörer das Instrument her, das sie verwenden, um die Maschine zu korrumpieren? Und wo befindet sich dieses Instrument jetzt?«

Er sah ostentativ auf die Uhr, um seine Androhung zu unterstreichen. Viereinhalb Minuten waren tatsächlich vergangen, seit Dr. Kair das Haus verlassen hatte. Er verspürte ein erstes Unbehagen, die ersten bohrenden Sorgen. Er sah, daß Prescott blaß geworden war, und das stärkte seine Nerven. Prescott sagte mit seltsam ungleichmäßiger Stimme: »Der Verzerrer ist in Miß Patricia Hardies Wohnung. Wir haben ihn so eingebaut, daß er wie der Teil einer Wand aussieht.«

Der Mann schien dem Zusammenbruch tatsächlich nahe zu sein. Und seine Angabe hatte den Klang der Wahrheit. Der Verzerrer — schon der Name war enthüllend genug — mußte in der Nähe der großen Maschine stehen, und ihn zu verbergen, mußte für die Verschwörer zur Zeit der Installierung eine Notwendigkeit gewesen sein. Warum nicht in Patricia Hardies Räumen? Gosseyn unterdrückte einen Impuls, den Lügendetektor zu holen; unterdrückte ihn, weil er Prescott endlich da hatte, wo er ihn haben wollte, und weil die mit dem Hereinbringen des Apparates verbundene Atempause alles zunichte machen konnte. Er warf einen weiteren Blick auf seine Uhr. Die fünf vollen Minuten waren um. Die Zeit forderte seinen Bluff heraus. Er begann den Druck zu begreifen, den Prescott ausgehalten hatte, und er empfand etwas wie widerwilligen Respekt. Mit einer Anstrengung zwang er seine Aufmerksamkeit zu dem Mann zurück.

»Wo«, drängte er weiter, »haben Sie das Instrument her?«

»Thorson brachte es mit. Die Verwendung ist illegal, weil der Gebrauch solcher Geräte von der Liga verboten ist, außer für Transportzwecke, und . . .«

Ein Geräusch bei der Tür brachte ihn zum Verstummen. Er entspannte sich mit einem gequälten Lächeln, als Dr. Kair atemlos hereinkam.

»Wir haben keine Zeit zu verlieren«, sagte der Arzt. »Es beginnt Tag zu werden, und der Nebel hebt sich. Ich habe ihnen gesagt, daß wir jetzt gehen. Kommen Sie!«

Er griff nach der Mappe mit seinen Unterlagen. Gosseyn stopfte Prescott wieder den Knebel in den Mund und fragte: »Aber wohin wollen wir gehen?«

Kair war zu Gosseyns Überraschung fröhlich und aufgeregt wie ein kleiner Junge, der zum Äpfelstehlen auszieht. »Wieso, wir nehmen natürlich meine Privatmaschine. Und wir werden uns genauso benehmen, als ob wir nicht unter Beobachtung wären. Was unser Ziel angeht, so möchten Sie sicher nicht, daß ich es in Gegenwart von Mr. Prescott sage, nicht wahr? Um so weniger, als ich seine Schuhe mit dem Ortungsgerät über Bord werfen werde, bevor wir diese Stadt hinter uns lassen.«

Fünf Minuten später waren sie in der Luft. Gosseyn blickte hinaus in den wattigen grauen Nebel und genoß ein wildes Triumphgefühl.

Sie kamen tatsächlich ungeschoren davon.

18

Gosseyn sank aufatmend tiefer in seinen Sitz und warf Dr. Kair einen Seitenblick zu. Der Psychiater hatte den Autopiloten eingeschaltet und sah schläfrig aus.

»Hören Sie«, sagte Gosseyn, »welche Erklärung haben Sie nach Ihrer Kenntnis der Wissenschaft für zwei Körper und dieselbe Persönlichkeit?«

»Darüber wollte ich morgen früh nachdenken«, sagte Dr. Kair müde.

»Denken Sie jetzt darüber nach«, drängte Gosseyn. »Gibt es irgendeine Erklärung auf wissenschaftlicher Basis?«

»Keine, von der ich weiß.« Der Psychiater blickte stirnrunzelnd auf seine Hände. »Sie haben da den Kernpunkt des Problems angesprochen. Wer hat einen so absolut radikalen Veränderungsprozeß entdeckt? Ich habe keinen Zweifel daran, daß fähige Biologen in den letzten Jahren wichtige Experimente gemacht und bedeutende Fortschritte erzielt haben. Aber zwei Körper und ein neues Gehirn!«

»Beide Seiten haben etwas«, bemerkte Gosseyn. »Das Wunder meiner seltsamen Unsterblichkeit war ein Produkt von jemandem, der die Gruppe bekämpft, der wiederum der Verzerrer gehört. Und doch hat meine Seite — unsere Seite — Angst. Anders kann ich es mir nicht erklären. Wenn sie eine vergleichbare Stärke hätte, würde sie nicht dieses versteckte Spiel spielen.«

»Hm-m, da mögen Sie recht haben.«

»Doktor, wenn Sie eine Machtfülle hätten, daß Sie selbstständig Entscheidungen von planetarischer Bedeutung treffen könnten«, forschte Gosseyn. »Was würden Sie tun, wenn Sie entdeckten, daß ein galaktisches Imperium sich anschickt, das ganze Sonnensystem zu erobern?«

Der ältere Mann sagte langsam: »Ich würde die Bevölkerung alarmieren. Die Stärke von Null-A wird sich im Kampf noch erweisen müssen, aber ich könnte mir denken, daß sie größer ist als manche Leute glauben.«

Minuten vergingen, bevor Gosseyn wieder sprach. »Wohin fliegen wir, Doktor?«

»Ich habe eine Hütte an einer einsamen Uferstrecke am Lake Superior«, sagte Dr. Kair. »Als ich vor drei Jahren ein paar Monate dort war, schien mir der Ort so ideal zum Ausspannen und für ungestörtes Arbeiten zu sein, daß ich diese Hütte kaufte. Und dann bin ich nie wieder hingekommen.« Er lächelte wehmütig. »Man nimmt sich eben nie die Zeit. Aber ich bin ziemlich sicher, daß man uns dort nicht suchen wird.«

Gosseyn schwieg. Er saß da und schätzte, wieviel Zeit seit ihrem Start verstrichen sein mochte. Eine halbe Stunde, vielleicht. Es war eine verlockende Vorstellung, stundenlang an einem Sandstrand zu liegen und nichts zu tun, als unter der Anleitung eines großen Wissenschaftlers gelegentlich ein paar

Denkübungen zu machen. Leider hatte die Sache einen Haken: Dieses Wunschbild stimmte ganz und gar nicht: Es würde ganz anders sein.

Er stellte sich Dr. Kairs abgelegene Hütte vor. Nicht allzuweit entfernt würde es ein Dorf geben, dazu vielleicht ein paar Einzelgehöfte und Fischerhäuser. Vor drei Jahren hatte der Psychiater, mit reinem Gewissen und auf seine eigenen Angelegenheiten bedacht, ihnen wohl kaum besondere Beachtung geschenkt. Wahrscheinlich hatte er sich damals einen Stoß Bücher mitgenommen und meditative Spaziergänge an einsamen Uferstrecken gemacht, und wenn er dabei gelegentlich einem Einwohner begegnet war, hatte er ihn wohl gesehen, aber nicht wirklich mit Bewußtsein registriert. Das bedeutete nicht, daß er selbst unbemerkt geblieben war. Und die Aussichten, daß zwei Männer unmittelbar nach der Ermordung des Präsidenten Hardie zu dieser Hütte kämen und nicht beobachtet würden — nun, die waren gleich Null.

Gosseyn seufzte. Für ihn gab es kein Ausruhen an irgendeinem idyllischen Seeufer, während die bewohnten Welten des Sonnensystems unter den Stiefeln fremder Invasionsarmeen erzitterten. Er warf einen verstohlenen Blick auf den Arzt. Dr. Kair hatte sich zurückgelehnt; seine Augen waren geschlossen, seine Brust hob und senkte sich gleichmäßig. Gosseyn rief leise: »Doktor!«

Der Schläfer rührte sich nicht.

Gosseyn erhob sich leise und stahl sich zum Armaturenbrett. Er stellte die Bedienungsinstrumente so ein, daß die Maschine in einem weiten Bogen zu ihrem Ausgangspunkt zurückkehren mußte, dann schlich er zu seinem Sitz zurück, riß ein Blatt aus seinem Notizbuch und schrieb:

Lieber Doktor!
Es tut mir leid, daß ich Sie so verlassen muß, aber wenn Sie wach wären, würden wir wahrscheinlich nur streiten. Mir liegt viel daran, meinen Geist auszubilden, aber im Moment habe ich dringendere Dinge zu tun. Achten Sie auf die Kleinanzeigen in der Abendzeitung, und halten Sie nach einer Anzeige mit dem Stichwort ›Feriengast‹ Ausschau. Wenn Antwort nötig, melden Sie sich unter dem Stichwort ›Angorakatze‹.

Er steckte die Notiz zwischen die Instrumente und schnallte sich einen Lenkfallschirm an. Zwanzig Minuten später zeigte sich das atomare Leuchtfeuer im Nebel. Wieder verstellte Gosseyn die Steuerung, diesmal so, daß die Maschine von neuem ihren ursprünglichen Kurs einschlug.

Er wartete, bis das grellweiße Licht direkt unter ihm war und der Gebäudekomplex des Präsidentenpalastes unmittelbar voraus sein mußte, dann katapultierte er sich aus dem Notausstieg.

19

Mit Hilfe des schwenkbaren, elektrisch angetriebenen Propellers am Fallschirmtornister war es Gosseyn ohne Schwierigkeiten möglich, auf dem Balkon vor Patricia Hardies Wohnung zu landen. Gern hätte er zuerst der Maschine einen Besuch abgestattet, aber das kam nicht in Frage. Man würde sie bewachen wie die Kronjuwelen alter Zeiten. Niemand aber würde vermuten, daß er hier im Palast auftauchte — so hoffte er.

Er fing den leichten Aufprall der Landung mit federnden Knien ab. In wenigen Sekunden hatte er den Fallschirm eingeholt und die Traggurte abgeschnallt. Er legte das Gerät in eine Ecke des Balkons, dann war er an der Tür. Ein rascher, kräftiger Druck, und sie gab mit hellem, metallischem Knacken nach. Gosseyn kümmerte sich nicht um das Geräusch; sein Plan basierte auf Schnelligkeit und seiner klaren Erinnerung, wo Patricia Hardies Bett stand. Bis zuletzt war er unschlüssig gewesen, wie er sie behandeln sollte. Vielleicht glaubte sie, er habe ihren Vater umgebracht. Hier und in diesem Augenblick, wo er die Entscheidung nicht länger vertagen konnte, war ihm sofort klar, daß er mit dieser Möglichkeit rechnen mußte.

Er drückte sie zurück in die Kissen und hielt ihren Mund mit der Hand zu. Er knebelte und band sie, ließ von ihr ab und schaltete das Licht an. Er sah sie an und sagte: »Es tut mir leid, daß ich Sie grob behandeln mußte.«

Das entsprach der Wahrheit, aber hinter seinen Worten war mehr als das. Sobald er den Verzerrer entdeckt und unbrauchbar gemacht haben würde, hoffte er mit ihrer Hilfe aus dem Palast zu entkommen.

Er sah, daß ihre Augen auf einen Punkt hinter ihm fixiert

waren, wirbelte herum und blieb wie von einem Keulenschlag gelähmt stehen. Eldred Crang stand auf der Schwelle und sagte: »Ich an Ihrer Stelle würde keine Dummheiten machen.«

In seinen haselnußbraunen Augen glänzte reflektiertes Licht. Er stand lässig und ungezwungen da, flankiert von zwei Männern mit Strahlpistolen. Gosseyn hob mechanisch beide Hände.

»Es war sehr einfältig von Ihnen, Gosseyn, zu denken, daß eine Maschine heute nacht unbeobachtet den Palast überfliegen könne. Wie dem auch sei, ich habe eine kleine Überraschung für Sie. Vor einer halben Stunde wurde Prescott befreit und hat uns angerufen. Aufgrund seiner Meldung habe ich Thorson überredet, daß er mir Ihre Behandlung überläßt.«

Gosseyn wartete, aber der erste Hoffnungsschimmer kam in ihm auf. Crang, der geheime Null-A, hatte Thorson überredet. Gosseyn hatte es für selbstverständlich gehalten, daß Crangs Position zu schwierig war, als daß er ihm auch nur die kleinste Hilfe hätte gewähren können, und doch hatte der Mann genau das gewagt.

»Wissen Sie«, fuhr Crang fort, »wir haben uns schon seit längerem Gedanken darüber gemacht, daß es denjenigen — wer immer er sein mag —, der Sie auf uns angesetzt hat, nur wenig kümmerte, ob Sie getötet würden oder nicht. Wir glauben sogar, daß Ihr Tod, bald nach der Entdeckung Ihres zusätzlichen Gehirns durch uns, beabsichtigt war. Prompt wurden Sie ein zweitesmal auf die Szene gebracht, diesmal auf der Venus, und wieder geschah es, damit Sie ein bestimmtes Operationsziel erreichten. Ich werde Ihnen nicht sagen, was es war, aber Sie haben es erreicht. Auch hier zeigte es sich, daß die Person hinter Ihnen wenig Rücksicht auf Ihr persönliches Wohlergehen nahm. Die Schlußfolgerung ist unausweichlich: Irgendwo muß ein dritter Körper darauf warten, zum Leben zu erwachen, sobald der zweite Gosseyn aus dem Weg ist.«

Er lächelte. Seine Augen leuchteten wie Feuer. »Dieser Mann hinter Ihnen, Gosseyn, hat es nicht leicht. Offensichtlich wagt er nicht, zwei lebendige Körper gleichzeitig draußen operieren zu lassen. Einmal wäre es wahrscheinlich zu kompliziert; zum anderen könnten gefährliche Möglichkeiten darin liegen, daß jeder Körper weitere Duplikate von sich selbst entwickelt, von denen jedes genauso egozentrisch und machtvoll wie die anderen wäre. Sie können sehen, wohin das führen würde. Thorson meinte, wir sollten Sie gefangenhalten, aber ich behaupte, daß

Tod oder Gefangenschaft zwei Seiten einer Sache sind und daß beide das Signal zum Auftauchen des dritten Gosseyns wären. Das kann nicht in unserem Interesse liegen. Wenn wir Sie nicht töten, dann wird es kein anderer außer Ihnen selbst tun — abgesehen vielleicht von irgendeinem Agenten Ihres unsichtbaren Schachspielers.

Demgemäß haben wir uns entschlossen, Sie ohne Einschränkungen und Bedingungen irgendwelcher Art freizulassen, denn wir nehmen an, daß Sie sich vor Gefahren schützen werden.«

Das hatte Gosseyn nicht erwartet. »Was wollen Sie tun?« fragte er ungläubig.

»Die Anklagen gegen Sie«, sagte Crang sachlich, »sind fallengelassen worden. Alle Polizeistationen sind in diesem Sinne verständigt. Von diesem Augenblick an sind Sie ein freier Mann. Nichts, was Sie mit Ihrem unentwickelten Gehirn tun können, ist für uns eine Gefahr. Es ist zu spät, um unsere Pläne in irgendeiner Form zu sabotieren. Von mir aus können Sie jedem erzählen, was immer Sie wollen.«

Er drehte sich um, nickte seinen Begleitern zu. »Bringen Sie diesen Mann in seine Räume, sehen Sie zu, daß er Frühstück bekommt und versorgen Sie ihn mit einem Straßenanzug. Lassen Sie ihn bis etwa neun Uhr im Palast bleiben, aber wenn er will, kann er auch eher gehen.«

Gosseyn ließ sich wegführen. Er wagte nicht mit Patricia zu sprechen, und er wagte Crang nicht zu danken, da er befürchtete, Thorson könne die Unterhaltung abhören.

Die Sonne begann den dichten Hochnebel aufzulösen, als Gosseyn kurz nach neun Uhr ins Freie trat.

20

Draußen auf der Straße sagte Gosseyn leise zu sich selbst: »Jemand wird mir folgen. Thorson wird mich nicht einfach fortgehen und irgendwo untertauchen lassen.«

Er war der einzige Passagier, der an der Endstation den Bus bestieg. Er stellte sich ans Heckfenster und sah das breite graue Band der Straße hinter sich abrollen. Ungefähr zwei Blocks entfernt kam ein blauer oder schwarzer Wagen in Sicht; er folgte dem Bus eine Weile, dann bog er in eine Querstraße ab.

Gosseyn seufzte. Ein zweiter Wagen näherte sich schnell aus der Richtung des Palastes und raste am Bus vorbei, der an einer Haltestelle stoppte. Eine Frau stieg zu. Sie schenkte ihm keine Beachtung, aber er sah sich wiederholt nach ihr um, bis sie einige Haltestellen weiter ausstieg.

Vielleicht, dachte er, haben sie bereits vermutet, wohin ich gehe — zuerst zum Hotel, dann zur Maschine.

In der Halle des Hotels, wo der erste Gosseyn seine Habseligkeiten zurückgelassen hatte, schob ihm der Mann am Empfangsschalter den Registrierbogen zu. »Bitte unterschreiben Sie hier.«

Daran hatte Gosseyn nicht gedacht. Er nahm den Kugelschreiber in die Hand und hatte die Vision einer Gefängniszelle. Er setzte seinen Namen ebenso schwungvoll wie unleserlich an die Stelle, die der Fingernagel des Hotelangestellten bezeichnet hatte, dann lächelte er zu sich selbst, als er merkte, wie sehr die Ereignisse der letzten Zeit seine Nerven mitgenommen hatten.

Besorgt sah er dem Mann nach, wie er in einem Nebenraum verschwand. Nach einer halben Minute kam er mit einem Schlüssel wieder zum Vorschein.

»Dort drüben sind die Schließfächer«, sagte er.

Gosseyn dankte, aber insgeheim wunderte er sich, daß sogar seine Unterschrift die gleiche war wie die des ersten Gosseyn.

Er verbrachte zehn Minuten mit dem Durchwühlen seines Koffers. Er sperrte sein Hotelzimmer ab, zog die Kleider aus, die man ihm im Palast gegeben hatte, und schlüpfte in einen seiner beiden eigenen Anzüge. Er paßte. Gosseyn seufzte wieder. Trotz allem war es schwer, die Identität zwischen ihm selbst und einem Toten zu akzeptieren.

Er zählte sein Geld und fand, daß er noch zweihundertvierzig Dollar besaß. Fünfundsiebzig davon zählte er ab, den Rest tat er in den Koffer, den er wieder mit hinunternahm und im Schließfach unterbrachte. Wieder auf der Straße, sah er einen Zeitungsautomaten und erinnerte sich an die wilden Meldungen und Anschuldigungen des vergangenen Abends. Der Tod des Präsidenten lieferte die erwartete riesige Schlagzeile, aber der eigentliche Nachrichtentext darunter war erheblich herabgestimmt. Gosseyn zog ein Exemplar aus dem Automaten und las:

»... Gosseyn entlastet ... eine gründliche Untersuchung ... Regierungsmitglieder geben voreilige und irreführende Stellungnahmen zu, die unmittelbar nach dem Mord verbreitet wurden ... Jim Thorson, führender Präsidentschaftskandidat bei den Spielen, verlangt Einsetzung einer Untersuchungskommission durch das höchste Gericht ...«

Es war ein kluger Rückzieher, mit der berechnenden Überlegenheit inszeniert, wie sie Männern eigen ist, die unbegrenzte Machtmittel hinter sich wissen. Die Saat des Mißtrauens gegen die Maschine und gegen Venus war bereits gesät. Zur geeigneten Zeit würde man sie aufgehen lassen.

In der rechten unteren Ecke der Titelseite befand sich eine kleine Notiz, die Gosseyn interessierte. Sie lautete:

KEINE NACHRICHT VON DER VENUS

Die Programmaustauschstelle des staatlichen Rundfunks meldet, daß heute morgen keine Radioverbindung mit der Venus hergestellt werden konnte.

Die Meldung deprimierte Gosseyn. Sie brachte ihn in offene Kollision mit einer Realität, die in die Außenbezirke seines Geistes zurückgedrängt gewesen war, seit er den Palast verlassen hatte. Er war wieder in der Dunkelheit, bei den fünf Milliarden Menschen, die nichts wußten, außer was man ihnen im Fernsehen und in den Zeitungen sagte, in der Dunkelheit manipulierter Meinungsmache. Schlimmer als das, er, der von der Gefahr zu Handlungen getrieben worden war, die in der Rückschau wie schieres Melodrama wirkten, sah sich plötzlich außer Gefahr, zu einer Nebenfigur am Rande des Geschehens degradiert. Anders würde es erst, wenn er versuchte, zur Maschine zu kommen. Sicherlich würden sie ihn daran hindern.

Aber niemand schien sich um ihn zu kümmern. Die breite Auffahrt zu dem schimmernden Metallkoloß lag fast verlassen, was am neunundzwanzigsten Tag der Spiele nicht überraschend war. Mehr als neunzig Prozent der Bewerber mußten inzwischen ausgeschieden sein, und ihre Abwesenheit hatte sich schon in der Stadt gezeigt. Gosseyn betrat eine Kabine, setzte sich, nahm die metallenen Kontakte auf und wartete. Nach einer halben Minute meldete sich eine Stimme aus dem Wandlautsprecher vor ihm.

»Welches sind Ihre Pläne angesichts der neuen Situation?«

Die Frage schockierte Gosseyn. Er war gekommen, um sich Ratschläge zu holen — ja, er mußte es zugeben —, Instruktionen. Seine eigenen Vorstellungen von seiner Zukunft waren so obskur und verschwommen, daß er sie beim besten Willen nicht Pläne nennen konnte.

»Ich bin aus dem Gleichgewicht geraten«, bekannte er. »Nachdem ich in Gefahr und Todesangst gelebt habe, ständig auf der Flucht oder einem Ziel nachjagend, ist mir die ganze Last plötzlich von den Schultern genommen worden. Ich bin wieder im Fegefeuer, in einer Welt, wo man Zimmer suchen, billige Speiselokale finden, sich durchschlagen und um alle die elenden Details einer ärmlichen, von ewigen Geldsorgen geplagten Existenz kümmern muß. Mein einziger Plan ist, mit einigen Professoren vom Institut für Semantik zu sprechen und Verbindung mit Dr. Kair aufzunehmen. Die Venusianer müssen auf irgendeine Weise vor der drohenden Gefahr gewarnt werden.«

»Die Venusianer wissen Bescheid«, sagte die Maschine. »Sie wurden vor sechzehn Stunden von fünftausend Raumschiffen und fünfundzwanzig Millionen Soldaten angegriffen. Sie ...«

Gosseyn sagte: »Was?«

»In diesem Augenblick«, fuhr die Maschine fort, »befinden sich die großen Städte auf der Venus in den Händen der Angreifer. Die erste Phase des Angriffs ist damit vorüber.«

Gosseyn ließ seine Hände schlaff von den Metallkontakten fallen.

»Und Sie haben sie nicht gewarnt!« rief er erbittert. »Das ist unglaublich!«

»Sie haben, glaube ich«, antwortete die Maschine, »von dem Verzerrer gehört. Solange dieses Instrument auf mich gerichtet ist, kann ich keine öffentlichen Erklärungen abgeben.«

Gosseyns Mund, schon zu einer neuen Tirade geöffnet, klappte zu. Er saß still, während die Maschine fortfuhr: »Ein elektronisches Gehirn aus Speicheranlagen und Rechnern ist eine komplizierte und zugleich beschränkte Sache. Es arbeitet mit elektrischen Signalen, mit einem ständig gleichbleibenden, aber in kurze Stromstöße aufgeteilten Energiedurchfluß. Bei diesem Prozeß ist die Unterbrechung des Energieflusses im passenden Sekundenbruchteil genauso wichtig wie sein Vorhandensein in anderen Momenten. Der Verzerrer läßt nur einen gleichmäßigen Energiefluß zu, nicht aber die Unterbrechungen. Wenn er auf einen Teil von mir eingestellt wird, wird der Energiefluß in Fotozellen, Verstärkern und allen anderen Geräten der betroffenen Partie uniform und bedeutungslos. Mein System für die öffentliche Nachrichtenübermittlung unterliegt ständig diesem Einfluß.«

»Aber Sie können zu mir als einem Individuum sprechen. Sie tun es.«

»Als Individuum«, erwiderte die Maschine. »Durch Konzentration aller meiner Kräfte könnte ich drei oder vier Leuten einzeln die Wahrheit sagen. Angenommen, ich täte es. Angenommen, ein paar Dutzend Menschen fingen an herumzugehen und anderen zu erzählen, daß die Maschine die Regierung der Schikane und Behinderung bezichtige. Bevor jemand diese Geschichten wirklich glauben würde, hätten die Verschwörer von ihren Agenten die Meldung bekommen, und man würde einen zweiten Verzerrer aufstellen. Nein, mein Freund, die Welt ist zu groß, und die Regierung kann in einer Stunde mehr Falschmeldungen verbreiten, als ich in einem Jahr richtigstellen könnte. Es müßte eine den ganzen Planeten umfassende Radiosendung sein, oder es bedeutet nichts.«

»Aber was wollen wir machen?« fragte Gosseyn.

»*Ich* kann nichts tun.«

Die Betonung des ersten Wortes blieb Gosseyn nicht verborgen. »Sie meinen, ich könnte etwas machen?«

»Es hängt davon ab«, sagte die Maschine, »inwieweit Sie begreifen, daß Crangs Situationsanalyse meisterhaft war.«

Gosseyn dachte nach, dann platzte er heraus: »Nun, hören Sie, Sie wollen doch nicht im Ernst verlangen, daß ich mich selbst umbringe?«

Die Maschine sagte: »Ich hätte Sie in dem Moment erschossen, als Sie hier hereinkamen, wenn ich dazu imstande gewesen wäre. Aber ich kann nur in Notwehr töten.«

Gosseyn, der nie an eine Gefahr seitens der Maschine gedacht hatte, krächzte: »Aber ich verstehe nicht. Was geht eigentlich vor?«

Die Stimme der Maschine schien auf einmal von weit her zu kommen. »Ihre Arbeit ist getan«, sagte sie. »Sie haben Ihren Zweck erfüllt. Nun müssen Sie Ihren Platz für den dritten und größten Gosseyn freimachen. Es ist möglich, daß Sie schon in diesem Körper lernen, Ihr zusätzliches Gehirn zu integrieren, vorausgesetzt, Sie haben Zeit zur Verfügung. Aber die Zeit reicht nicht. Infolgedessen müssen Sie Gosseyn III Platz machen, dessen Gehirn von dem Augenblick an integriert sein wird, da er zu bewußtem Leben erwacht.«

»Aber das ist lächerlich«, begehrte Gosseyn auf. »Ich kann mich nicht selbst umbringen. Warum kann dieser — dieser dritte Gosseyn nicht ohne meinen Tod zum Leben erwachen?«

»Ich weiß nicht allzu viel über den Prozeß«, antwortete die Maschine. »Seit Sie zuletzt hier waren, wurde mir gesagt, daß der Tod eines Körpers von einem elektronischen Empfänger registriert werde, der dann den neuen Körper durch ein Signal zu bewußtem Leben erwecke. Der mechanische Teil des Problems scheint einfach zu sein, aber die damit verbundenen biologischen Vorgänge scheinen sehr verwickelt zu sein.«

»Wer hat Ihnen das gesagt?« fragte Gosseyn gespannt.

Eine Pause trat ein, dann öffnete sich ein Schlitz, und ein Brief rutschte heraus. »Ich erhalte meine Instruktionen per Post«, erläuterte die Maschine. »Ihr zweiter Körper wurde mir mit einem Lastwagen zugestellt. Dieser Brief war ihm beigefügt.«

Gosseyn nahm das Papier. Es war ein leerer Briefbogen mit einer maschinegeschriebenen Botschaft:

Verschiffen Sie Körper von Gosseyn II zur Venus und lassen Sie ihn durch eine Ihrer Flugmaschinen in der Nähe von Prescotts Haus im Wald absetzen. Wenn er dieses Haus wieder verläßt, lassen Sie ihn abholen und mit Instruktion, sich zu ergeben, in die Nähe von Crangs Baumhaus bringen. Lassen Sie ihn über die Venus informieren und treffen Sie alle nötigen Vorsichtsmaßnahmen.

Die Maschine sagte: »Niemand ist berechtigt, meine Verschiffungen zur Venus zu kontrollieren, also war es kein Problem.«

Gosseyn las die Instruktion noch einmal und mit wachsender Enttäuschung. »Und das ist alles, was Sie wissen?« brachte er schließlich heraus.

Die Maschine schien zu zögern. »Seitdem habe ich eine weitere Nachricht erhalten, mit der mir die baldige Zustellung des Körpers von Gosseyn III angekündigt wurde.«

Gosseyn erbleichte. »Sie lügen!« sagte er. »Sie erzählen mir das, damit ich einen Anreiz bekomme, mich umzubringen.«

Er verstummte. Er diskutierte über seinen Selbstmord, als ob das eine Sache wäre, über die man sich unterhalten könnte. Aber er dachte nicht daran, Selbstmord zu verüben. Ohne ein weiteres Wort verließ er die Kabine und ging durch die verlassenen Korridore und über die leere Treppe ins Freie.

Er verbrachte den ganzen Tag in einer Mischung aus Verzweiflung und Trotz. Gegen Abend ließ das Fieber seiner Unruhe nach, und er fühlte sich abgekämpft und unglücklich, aber er war auch viel nachdenklicher. Die Maschine hatte nicht einmal vorgeschlagen, er solle versuchen, den Verzerrer zu zerstören, vielleicht, weil sie sich ein Gelingen nicht vorstellen konnte.

Beim Abendessen fiel ihm eine Möglichkeit ein. Er könnte Patricia anrufen und sich mit ihr in ihrer Wohnung verabreden. Je länger er darüber nachdachte, desto besser gefiel ihm sein Plan, und nach dem Essen rief er sie an. Nachdem er seinen Namen genannt hatte, gab es eine kurze Verzögerung, dann erschien ihr Gesicht auf der Mattscheibe. Sie lächelte, machte jedoch einen gehetzten Eindruck. »Ich kann nicht länger als eine Minute sprechen«, sagte sie. »Wo können wir uns treffen?«

Als er seinen Vorschlag machte, legte sie die Stirn in Falten und wollte ihren Kopf schütteln, dann sah sie ihn forschend an. »Das kommt mir sehr riskant vor«, meinte sie endlich, »aber wenn Sie es auf sich nehmen wollen, soll es mir recht sein. Morgen um ein Uhr, und passen Sie auf, daß Sie weder Prescott noch Thorson oder Mr. Crang in die Arme laufen, wenn Sie kommen.«

Gosseyn versprach ihr feierlich, daß er sich in acht nehmen werde, bedankte sich und legte auf.

21

Ein berühmter Physiker der Viktorianischen Ära sagte einmal: »Der nächsten Physikergeneration bleibt nichts zu tun als die nächste Dezimalstelle zu bestimmen.« In der nächsten Generation entwickelte Planck die Quantentheorie, die zu Bohrs Arbeiten über die Atomstruktur führte ... Es ist offenbar, daß die nächsten Fragen die Bestimmung weiterer Dezimalstellen einschließen werden. Das Problem der Schwere ist noch zu wenig bekannt. Das gleiche gilt für Phänomene magnetischer Felder ... Früher oder später wird jemand eine weitere Dezimalstelle einfügen und das Problem lösen.

Gosseyn näherte sich dem Haupteingang wenige Minuten vor ein Uhr. Er war nicht allein. Männer und Frauen gingen durch die großen Tore aus und ein und boten ihm eine Art Deckung. Natürlich konnte er nicht umhin, innerhalb des Eingangs das Anmeldebüro zu passieren. Als er an die Reihe kam, sah er sich durch die Glasscheibe einem grobschlächtigen Uniformierten gegenüber.

»Mein Name ist Gosseyn. Ich bin um ein Uhr mit Miß Patricia Hardie verabredet.«

Der Mann fuhr mit dem Finger eine Liste von Namen herunter, dann drückte er einen Knopf. In der Nähe seines Schalters kam ein schlaksiger junger Mann in der gleichen Uniform aus einer Tür. Er führte Gosseyn zu einem Aufzug, dessen Türen sich gerade öffneten. Unter den drei Leuten, die herauskamen, war Prescott. Er starrte Gosseyn erstaunt an. Sein Gesicht wurde dunkel.

»Was bringt Sie hierher zurück?« fragte er.

Gosseyn hatte sich eine solche Begegnung vage ausgemalt, aber sein Herz schlug ihm in der Kehle, als er die vorbereiteten Worte aussprach: »Ich habe eine Verabredung mit Crang.«

»Wie? Ich komme gerade von Crang. Er erwähnte nichts von einer Verabredung mit Ihnen.«

Gosseyn erinnerte sich, daß Prescott nichts von Crangs geheimer Null-A-Überzeugung wußte. Alles in allem war das ein großes Glück.

»Er gibt mir ein paar Minuten«, sagte Gosseyn. »Vielleicht haben Sie eine Idee, was ich ihm sagen sollte.«

Prescott stand kalt, ablehnend und wachsam da, während Gosseyn ihm von seinem Besuch bei der Maschine erzählte, und wie die Maschine von ihm verlangt hatte, daß er sich umbrächte, damit der dritte Gosseyn erscheinen könne. Düster endete er: »Ich muß diesen dritten Körper sehen. Ich suche nach Anhaltspunkten. Ich dachte sogar daran, mit Thorson zu reden.« Er schaute dem anderen hart in die Augen. »Nach den Erfahrungen der letzten Nacht dachte ich irgendwie nicht an Sie.«

Prescotts Gesicht zeigte keinerlei Reaktion. Seine Haltung blieb kalt und feindselig, aber seine Augen waren neugierig.

»Wie Sie wahrscheinlich schon vermutet haben«, sagte er, »suchen wir nach anderen Körpern von Ihnen.«

Gosseyn fühlte sich von einem Frösteln überlaufen. »Wo haben Sie gesucht?« fragte er.

Prescott lachte rauh. »Zuerst hatten wir ziemlich abwegige Vorstellungen. Wir durchsuchten Höhlen und andere abgelegene Orte. Aber inzwischen sind wir ein bißchen klüger geworden.«

»Was meinen Sie damit?«

»Das Problem wird durch ein Naturgesetz kompliziert, von dem Sie wahrscheinlich noch nie gehört haben«, sagte Prescott. »Das Gesetz lautet so: Wenn zwei Energien so aufeinander abgestimmt werden, daß die Annäherung an die absolute Gleichartigkeit zwanzig Dezimalstellen erreicht, wird die größere den Raumabstand zwischen ihnen überbrücken, als ob es keine räumliche Entfernung gäbe, obwohl der Zusammenschluß mit begrenzten Geschwindigkeiten erfolgt.«

»Das«, sagte Gosseyn, »hört sich wie Arabisch an.«

Prescott lachte wieder, diesmal lauter. »Dann stellen Sie es sich so vor: Wie erklären Sie sich die Tatsache, daß Sie die Erinnerung des ersten Gosseyn mit sich herumtragen und wissen, was er tat und dachte? Sie müssen aufeinander abgestimmt sein, Sie und er; das ist die einzige theoretisch sichere Methode von Gedankenübertragung — Sie müssen es mit sich selbst machen. Außerdem spielte es gar keine Rolle, wo Sie waren; seine Gedanken, weil sie lebendig waren, mußten die stärkeren gewesen und auf Sie übergegangen sein, wo immer Sie sich innerhalb der Grenzen des erreichbaren Raumes aufhielten. Diese Grenzen will ich nicht definieren . . .«

Ein Mann in Militäruniform trat zu ihnen. »Unser Wagen wartet, Mr. Prescott. In einer halben Stunde startet das Schiff zur Venus.«

»Ich komme, General.« Prescott wandte sich ab und folgte dem Mann durch die weite Halle, ohne sich noch einmal umzusehen. Gosseyn sah ihn draußen einen Wagen besteigen. In wenigen Augenblicken würde der Mann anfangen, über die Begegnung nachzudenken. Und dann würde er Crang anrufen, dem daraufhin nichts übrigbliebe, als etwas zu unternehmen.

Gosseyn konnte im Aufzug kaum stillstehen. Sein Plan, den Verzerrer intakt an sich zu bringen, war durch die zufällige Begegnung gefährdet, wenn nicht zunichte geworden, aber als Patricia Hardie ihn in ihre Wohnung einließ, verschwendete er keine Zeit. Noch als sie etwas murmelte, wie gefährlich es für ihn sei, in den Palast zu kommen, öffnete er seine Aktenmappe und holte ein Stück Wäscheleine heraus.

Sie war höchst erstaunt, als er anfing, sie zu fesseln. Im weiten Ärmel ihres Kleides hatte sie eine kleine automatische Pistole, die sie herauszuziehen versuchte. Gosseyn nahm sie ihr ab und steckte sie in die Tasche. Als er sie gefesselt und geknebelt ins Schlafzimmer getragen und auf ihr Bett gelegt hatte, sagte er: »Es ist mir sehr unangenehm, aber ich tue das nur zu Ihrem Besten, falls jemand uns überrascht.«

Es war ihm nicht unangenehm, er hatte es nur eilig. Er entleerte seine Aktenmappe neben sie auf das Bett. Aus dem Haufen der herausgefallenen Werkzeuge nahm er einen Schneidbrenner und rannte zu der Wand, wo nach seiner Vermutung der Verzerrer eingebaut sein mußte.

Der Verzerrer konnte nur so stehen, daß er auf die etwa achthundert Meter entfernte Maschine gerichtet war. Und wie auch immer seine Form aussehen mochte, zu klein konnte er nicht sein. Gosseyn schloß den Schneidbrenner an, durchschnitt Tapete, Verputz und Drahtgeflecht und löste so ein etwa eineinhalb Quadratmeter großes Stück aus der Fläche. Mit einem Ruck riß er es aus der Wand und schleppte es zu einer anderen Wand, wo er es abstellte. Feiner weißer Mörtelstaub überpuderte ihn und hing wie eine durchsichtige Wolke im Zimmer. Als er zurückkam, hatte er den Verzerrer vor sich. Das Gerät war etwa zwei Meter hoch und einen Meter breit, kleiner als er erwartet hatte und ohne sichtbare Anschlüsse an das Stromnetz. Gosseyn griff es mit beiden Händen und zog vorsichtig; es gab sofort nach und erwies sich als erstaunlich leicht. Ungefähr fünfzig Pfund, schätzte er, als er es heraushob und auf den Teppich legte. Das Ding war fast glatt, aber die Oberfläche wies eine Art grober Perforation auf, durch die er zahlreiche Röhren und Verdrahtungen sehen konnte. Er holte seinen Schneidbrenner, bereit, das Ding in Stücke zu trennen, doch dann hielt er inne, überlegte und blickte auf seine Uhr. Es war ein Uhr fünfunddreißig.

Prescotts Raumschiff war gestartet, und im Palast blieb es ruhig. Gosseyn ging an die hohen Balkonfenster und blickte hinaus. Der Schloßpark lag menschenleer, und hinter ihm ragte die Maschine auf, kalt und glitzernd und riesig. Es konnte nicht mehr als zehn Minuten dauern, den Verzerrer dorthin zu schaffen.

Gosseyn faßte einen Entschluß, hob den Hörer von Patricia

Hardies Bettelefon ab und sagte, als das Mädchen der Zentrale sich meldete: »Bitte geben Sie mir die Tischlerwerkstatt.«

»Ich verbinde Sie mit dem Aufseher für Instandsetzungsarbeiten«, sagte das Mädchen.

Im nächsten Augenblick meldete sich eine barsche, schwer verständliche Stimme. Gosseyn erklärte, was er wollte, und legte auf. Er zitterte vor Erregung. Es muß klappen, dachte er. Solche Sachen gehen immer, wenn sie mit der nötigen Dreistigkeit durchgeführt werden.

Schnell trug er den Apparat in den benachbarten Wohnraum und schloß die Schlafzimmertür. Kurz darauf wurde an die äußere Tür geklopft. Gosseyn öffnete, und fünf Männer kamen hereingetrottet, beladen mit Brettern und Werkzeugkästen. Sie machten sich sofort mit elektrischen Sägen und automatischen Bohrern und Schraubenziehern an die Arbeit, und nach sieben Minuten hatten sie das Gerät in eine passend gezimmerte Kiste verpackt. Gosseyn gab ihnen seine Anweisungen, und einer der Männer sagte: »In fünf Minuten wird die Kiste abgeliefert, Mister.«

Gosseyn gab ihnen ein Trinkgeld, dann trugen sie die Kiste hinaus, und er schloß die Tür hinter ihnen und eilte zum Schlafzimmerfenster. Nach zwei Minuten erschien unten auf der Straße ein Lieferwagen mit einer langen schmalen Kiste auf der Ladefläche. Er fuhr die Straße entlang, nahm die Auffahrt zur Maschine und verschwand unter einem weit herabgezogenen Aluminiumdach. Nach weiteren drei Minuten kam er wieder in Sicht. Die Ladefläche war leer.

Gosseyn drehte wortlos um, zog dem Mädchen den Knebel aus dem Mund und löste die Fesseln. Er war sich eines vagen Gefühls von Unzufriedenheit bewußt, einer unerklärlichen Frustration.

22

Patricia Hardie saß auf ihrem Bett und rieb sich die Handgelenke und Knöchel. Sie sagte kein Wort, saß einfach da und sah ihn an, wobei ein leises Lächeln ihre Lippen umspielte. Das Lächeln verwirrte Gosseyn; es war wissend und zynisch.

»Es ist Ihnen also nicht gelungen«, sagte sie.

Gosseyn starrte sie an. Sie fuhr fort: »Sie hatten gehofft,

man würde Sie erschießen, wenn Sie in den Palast kämen, nicht?«

Gosseyn öffnete den Mund, um zu sagen: »Seien Sie nicht albern!« Aber er sagte es nicht. Er erinnerte sich an seine Beklemmungsgefühle beim Betreten des Palastes und an die Enttäuschung nach der erfolgreichen Ausführung seines Vorhabens. Das Mädchen lachte. »Das war der einzige Grund, warum Sie den Verzerrer holen wollten. Sie wissen, daß Sie sterben und Gosseyn den Dritten erscheinen lassen müssen. Und so hofften Sie, daß der Versuch Sie in eine tödliche Gefahr bringen würde.«

Er war wie vor den Kopf geschlagen. Wortlos wandte er sich von dem Mädchen ab und ging zur Tür.

»Wo wollen Sie hin?« rief sie ihm nach.

»Zurück zum Hotel. Sie können mich dort jederzeit erreichen.« Auf der Schwelle blieb er noch einmal stehen. Er hatte fast vergessen, daß auch sie ein Problem hatte.

»Lassen Sie ein paar Tapezierer kommen und die Wand herrichten«, schlug er vor. »Im übrigen wissen Sie wahrscheinlich besser als ich, wie Sie sich zu verhalten haben, also kann ich das Ihnen überlassen. Auf Wiedersehen und viel Glück.«

Unbehelligt verließ er den Palast durch den Haupteingang und nahm den nächsten Bus in die Stadt. In der Nähe seines Hotels ging er in eine Apotheke und verlangte eine hypnotische Droge.

»Sie fangen früh an, wenn Sie sich auf die nächsten Spiele vorbereiten wollen«, bemerkte der Apotheker.

»Besser als zu spät«, erwiderte Gosseyn mürrisch.

Als nächstes ging er in ein Elektrogeschäft und lieh sich ein Tonbandgerät aus, dann kehrte er in sein Hotel zurück. Das Gebäude stand nach dem großen Exodus der bei den Spielen vorzeitig ausgeschiedenen Teilnehmer praktisch leer. Gosseyn ging auf sein Zimmer, schloß sich ein und besprach das Tonband mit dem Text, den er sich ausgedacht hatte. Dann stellte er das Gerät auf endlose Wiederholung ein, ließ es ablaufen, schluckte die hypnotischen Drogen und warf sich auf das Bett. Auf den Nachttisch legte er Patricia Hardies kleine automatische Pistole.

Es war nicht Schlaf, was ihn bald darauf übermannte; es war eine schwere Müdigkeit, eine Erstarrung, die vage Eindrücke durchließ, besonders Geräusche. Darunter war ein Geräusch, ein unablässiges Plärren — seine eigene Stimme aus dem Lautsprecher des Tonbandgerätes.

»Ich bin niemand. Ich bin nichts wert. Alle hassen mich. Was für einen Sinn hat es, am Leben zu bleiben? Ich werde es nie zu etwas bringen. Kein Mädchen wird mich heiraten. Ich bin ruiniert... keine Hoffnung... kein Geld... ich muß Schluß machen...«

Es gab Millionen unintegrierter Menschen, die Gedanken wie diese mit sich herumtrugen, ohne jemals die Schwelle zum Selbstmord zu überschreiten. Während der ersten Stunden hatte auch er viele eigene, rebellische Gedanken: »Das ist albern und lächerlich! Mein Gehirn ist zu stabil, um sich je von solchem Unsinn beeinflussen zu lassen...«

Gegen Ende der zweiten Stunde hörte er von fern donnerndes Getöse. Es hörte nicht mehr auf und nahm zeitweise eine Lautstärke an, daß die jammernde Stimme neben seinem Bett ausgelöscht wurde. Schließlich entrang der wilde Lärm ihm ein stumpfsinniges Begreifen. Das waren Geschütze, Artilleriefeuer! Hatten sie angefangen, die Erde anzugreifen?

Er verspürte ein vages Entsetzen. Ohne sich an eine Entscheidung, aufzustehen, erinnern zu können, war er auf den Beinen. Wie müde er war! »... bin nichts wert... ruiniert... keine Hoffnung... Schluß machen...«

»Taumelig wie ein Betrunkener kroch er auf allen vieren zum Fenster. Er zog sich am Fenstersims empor und spähte hinaus auf ein anderes Gebäude. Der Geschützdonner war hier lauter, und er kam aus der Richtung der Maschine. Für einen Augenblick furchtbaren Schreckens hob sich die Benommenheit von ihm. Die Maschine wurde angegriffen!

»Ich bin niemand... alle hassen mich... werde es nie zu etwas bringen... keine Hoffnung...«

Die Maschine, frei von der lähmenden Einwirkung des Verzerrers, mußte angefangen haben, Meldungen über den Angriff auf die Venus und Warnungen an die Bevölkerung auszustrahlen! Und die Verschwörer versuchten sie zu zerstören.

Radiosendungen! Er krabbelte durch das Zimmer zum Empfänger. Wie müde er war! Endlich erreichte er es, schaltete es ein.

»Mörderischer Anschlag... unglaublich... kriminell...«

Die Worte durchbrachen seine innere Starrheit und erschreckten Gosseyn. Dann verstand er: Auch der Propagandakrieg war ausgebrochen. Welchen Sender er auch einstellte, überall brüllten Stimmen ihre Anschuldigungen und Drohungen. Die Maschine! Die korrupte Maschine! Mechanische Monstrosität, verräterisch, unmenschlich! Die Venusianer, Ränkeschmiede, die der Menschheit ihren verderblichen Einfluß aufzwingen wollten. Mörder ...

Und die ganze Zeit, als Hintergrundgeräusch für die lügenden Stimmen, donnerten die Geschütze, erzitterten die Fensterscheiben im Lärm der Detonationen. Gosseyn begann einzudösen. So müde ... das Bett ... hinlegen.

»Gosseyn!«

Alle anderen Stimmen wurden übertönt. Das Radio sprach direkt zu ihm! Gosseyn sperrte die Augen auf und starrte benommen das Gerät an.

»Gosseyn, hier spricht die Maschine. Töten Sie sich nicht.«

Töten Sie sich nicht? Ich bin niemand. Alle hassen mich. Ich muß Schluß machen ...

»Gosseyn, töten Sie sich nicht. Die Verschwörer haben Ihren dritten Körper zerstört. Gosseyn, ich kann nicht mehr lange aushalten. In der ersten halben Stunde wurde ich von normalen Geschützen unter Feuer genommen, aber jetzt bin ich unter dem Beschuß atomarer Torpedos, die aus der Richtung der Venus kommen. Töten Sie sich nicht, Gosseyn. Ihr dritter Körper ist zerstört worden. Sie müssen lernen, Ihr zusätzliches Gehirn zu gebrauchen. Ich kann Ihnen keine ...«

Das Gebäude erbebte unter einer fernen Explosion. Im Radio wurde es still, dann meldete sich eine Stimme: »Meine Damen und Herren, die Maschine der Spiele ist soeben von einem Volltreffer zerstört worden. Ihre hinterhältigen, verräterischen Angriffe gegen die Regierung ...«

Gosseyn schaltete das Radio aus. Unsinn. Ihm etwas weiszumachen über — über was?

Wieder auf dem Bett, grübelte er darüber nach. Etwas über — über — Wie müde er war!

»... Schluß machen ... ich bin niemand ... nichts wert ... alle hassen mich ... ruiniert, kein Geld ...«

23

Gosseyns erste bewußte Anstrengung war, seine Hände zu bewegen. Er konnte es nicht. Komische Lage, dachte er. Ich scheine auf ihnen zu liegen. Er wollte sie herausziehen, als ihm in den Sinn kam, warum er hier im Hotelzimmer war. Mit geschlossenen Augen wartete er, daß der Wille zum Tod übermächtig in ihm werde. Aber der Impuls wollte sich nicht einstellen. Statt seiner fühlte er sich von einer unerwünschten Zuversicht erfaßt, einer siegessicheren Gewißheit, daß nichts ihn aufhalten könne. Er versuchte die Augen zu öffnen, doch es ging nicht. »Das ist diese Droge«, murmelte er zu sich selbst. »Wie Rauschgift.« Er blieb liegen und grübelte über seinen plötzlichen Optimismus nach. Langsam schoben sich Erinnerungen zwischen seine gelähmten Gedanken, Erinnerungen an Unterbrechungen und laute Geräusche. Es sah so aus, als wäre er aus dem Bett gekrochen. Hatte er bei der Gelegenheit das Tonbandgerät abgeschaltet?

»Kommen Sie endlich zu sich!« sagte eine Frauenstimme neben ihm. »So gewaltig ist die Wirkung von dem Zeug nicht.«

Die unerwarteten Worte bewirkten es. Gosseyn öffnete die Augen. Er lag tatsächlich auf seinen Armen, aber das war nicht der Grund, warum er sie nicht bewegen konnte. Sie waren mit Handschellen aneinandergekettet. Und auf einem Stuhl neben seinem Bett saß Patricia Hardie und rauchte eine Zigarette. Gosseyn richtete sich halb auf und sank wieder zurück. Das Mädchen tat einen langen Zug aus der Zigarette und blies träge einen dicken Rauchstrom zur Decke. »Weil Sie eine ziemlich energische Person mit einem sehr starken Willen und großer Wißbegierde sind«, sagte sie, »habe ich Sie vorsichtshalber gefesselt.« Sie lachte. Es war ein gelöstes, musikalisches Lachen. »Aber ich will zur Sache kommen. Ich habe das Risiko dieses Besuchs auf mich genommen, weil der Schuß, den Sie mit der Entführung des Verzerrers abgefeuert haben, nach hinten losgegangen ist. Es muß etwas geschehen, heute noch.«

Sie wartete auf eine Erwiderung, aber Gosseyn schwieg. Er verstand nicht, was ihr Besuch hier bei ihm zu bedeuten hatte. Patricia Hardie hatte ihn über manches informiert, aber er hatte nie den Eindruck gehabt, daß sie in diesem Drama Null-A gegen Universum eine wichtige Rolle spielte.

Sie seufzte ungeduldig. »Passen Sie auf. Hier im Hotel ist ein junger Mann, der Ihnen helfen wird. Ihm verdanken Sie, daß niemand von Ihrem Aufenthalt hier weiß. Und das ist wichtig, denn seit Ihr dritter Körper zerstört ist, sind Sie wieder ein gesuchter Mann.«

Gosseyn sagte fassungslos: »Seit mein dritter Körper was ist?«

Sie machte große Augen. »Sie meinen, Sie wissen es nicht? Sie haben keine Ahnung, was passiert ist? Hören Sie, ich kann Ihnen jetzt nur das Wichtigste sagen. Daß Sie das letztemal freigekommen sind, verdanken Sie Eldred, aber wir wußten damals nicht, daß Thorson damit einverstanden war, weil seine Agenten bereits dicht daran waren, Ihren dritten Körper zu finden. Wo er gefunden wurde, wissen wir immer noch nicht. Wenn Sie mehr über die letzten Ereignisse erfahren möchten, lesen Sie die Zeitung.« Sie stand auf. »Und nun die Hauptsache: Holen Sie den Verzerrer aus der Maschine und schaffen Sie ihn zum Haus jenes jungen Mannes, den ich eben erwähnt habe. Morgen im Laufe des Tages werde ich Sie dort besuchen.« Sie griff in ihre Handtasche, zog einen Schlüssel heraus und warf ihn auf Gosseyns Bett. »Für die Handschellen«, erklärte sie. »Bis morgen, und viel Glück.« Die Tür fiel hinter ihr zu.

Gosseyn befreite sich von den Handschellen, dann setzte er sich auf die Bettkante, ließ sich ihre Worte durch den Kopf gehen und versuchte seine Gedanken zu ordnen. Dabei fiel sein Blick auf den Nachttisch. Eine Zeitung lag darauf, und darin eingefaltet ein weißer Briefbogen. Gosseyn riß die Papiere an sich, zog den Brief heraus und las:

Lieber Mr. Gosseyn:
Als ich die Nachricht hörte, wußte ich, daß man nach Ihnen suchen würde. So verbrannte ich den Registrierbogen mit Ihrer Eintragung und schrieb einen neuen. Für Ihr Zimmer Nr. 974 trug ich den erstbesten Namen ein, der mir in den Sinn kam: John Wentworth.
Wenn ich um Mitternacht dienstfrei habe, werde ich Sie aufsuchen. Lesen Sie einstweilen die Morgenzeitung.
Dies schreibt Ihnen einer, der nächstes Jahr selbst an den Spielen teilnehmen wollte und der Ihnen gern in jeder Weise behilflich ist.

Mit den besten Wünschen
Dan Little.

Gosseyn schlug die Zeitung auf und legte sie auf das Bett. Die Riesenlettern der Schlagzeile starrten ihm entgegen:

MASCHINE DER SPIELE ZERSTÖRT

Gosseyn überflog die erste Seite. Er zitterte auf einmal vor Erregung, und sein Gehirn registrierte nur einzelne, aus dem Textzusammenhang gelöste Bruchstücke von Sätzen:

Feuerte auf den Palast und strahlte gleichzeitig über den Rundfunk Warnungen über einen mysteriösen Angriff auf die Venus aus ... Ein solcher Angriff ... nie stattgefunden ... Die Behörden gelangten zu dem Schluß ... defekt ... unzurechnungsfähige Aktionen ... im Anschluß an die Ermordung des Präsidenten Hardie ... Beweismaterial ... die Maschine in diesem Zusammenhang schwer belastet ... zur Verhütung weiterer Schadens ... Zerstörung angeordnet. Eine Stunde lang strahlte die Maschine unverständliche Radiosendungen für Gilbert Gosseyn aus ... des Mordes verdächtig war ... später für unschuldig befunden wurde ... Polizeibehörde ... neuerlich einen Haftbefehl erlassen ...

Bei der Lektüre erinnerte Gosseyn sich von Sekunde zu Sekunde deutlicher an das, was die Maschine über das Radio gesagt hatte. Er legte die Zeitung weg und wankte zu einem Stuhl. Beinahe hätte er sich selbst das Leben genommen; er war so nahe daran gewesen, daß dies eine Art Auferstehung für ihn war. Was war in der Maschine vorgegangen, daß sie ihm zuerst den Selbstmord befohlen und ihn dann abgesagt hatte, weil sein dritter Körper zerstört worden war? Von allen organischen Stoffen auf der Welt hätte dieser Körper Gilbert Gosseyns des Dritten am wirksamsten geschützt werden müssen.

Seine Wut ließ langsam nach. Nüchterner geworden, analysierte er seine Lage. Zuerst muß ich den Verzerrer an mich bringen, dachte er. Und dann lernen, wie ich mein zusätzliches Gehirn gebrauchen kann.

Aber vorher gab es andere Dinge zu tun. Er trennte die Verbindung zwischen Mattscheibe und Videophon — ein anderer Angestellter konnte inzwischen unten Dienst tun — und rief den Empfangsschalter. Eine angenehme Stimme meldete sich. Gosseyn sagte: »Hier spricht John Wentworth.«

Einen Augenblick blieb es am anderen Ende still, dann sagte

die Stimme: »Ja, Sir. Wie geht es Ihnen? Hier Dan Lyttle. Ich komme gleich hinauf, Sir.«

Gosseyn wartete neugierig. Er erinnerte sich an den Angestellten, der ihn zuletzt bedient hatte, als einen schlanken, lang aufgeschossenen jungen Mann mit angenehmen Zügen und dunklem Haar. Der fleischliche Dan Lyttle erwies sich als um einiges dünner als das Erinnerungsbild, und er sah für den harten Job, den Patricia Hardie ihm zugedacht hatte, etwas schwächlich aus.

»Ich habe nicht viel Zeit«, sagte er.

Gosseyn zog die Stirn in Falten. »Ich fürchte, Mr. Lyttle«, sagte er, »daß wir erhebliche Risiken auf uns nehmen müssen. Vermutlich wird man die zerstörte Maschine so rasch wie möglich abwracken wollen. Wäre ich mit einem solchen Job konfrontiert, würde ich eine Bekanntmachung veröffentlichen, daß jeder sich nehmen könne, was er will, vorausgesetzt, er schafft es sofort weg.«

Er sah, daß Dan Lyttle ihn aus großen Augen anstarrte. »Ja«, sagte der junge Mann atemlos. »Ja, Sir, das ist genau, was sie getan haben. Die Leute sagen, ein Achtel der Maschine sei bereits weg, und ... Was ist mit Ihnen?«

Gosseyn durchlitt Augenblicke tiefsten seelischen Schmerzes. Die Maschine war fort, und mit ihr zerfiel alles, für das sie stand. Wie die Kathedralen vergangener Zeiten war sie ein Produkt schöpferischer Impulse gewesen, eines Willens zur Vollkommenheit, der, obwohl nicht tot, sich nie wieder in gleicher Form wiederholen würde. Mit einem Schlag waren Jahrhunderte von unersetzlichen Erinnerungen ausgelöscht worden. Es kostete Anstrengung, sich von dem Bild und den Gefühlen, die es heraufbeschwor, freizumachen.

»Ja, es ist eilig«, sagte er. »Wenn der Verzerrer noch in der Maschine ist, müssen wir ihn holen. Am besten machen wir uns gleich auf den Weg.«

»Ich kann vor zwölf nicht gehen«, wendete Lyttle ein. »Wenn ich vorzeitig gehe, verliere ich meinen Posten. Und ungesehen komme ich nicht weg.«

»Was ist mit Ihrem Wagen — wenn Sie einen haben?«

»Der steht unten in der Tiefgarage, aber ich bitte Sie, versuchen Sie ihn nicht zu nehmen. Die Garage ist bewacht, und ich bin sicher, daß man Sie sofort festnehmen würde.«

Gosseyn zögerte, aber dann nickte er in unwilliger Resignation.

»Gehen Sie jetzt lieber wieder an Ihre Arbeit«, sagte er freundlich. »Bis Mitternacht, also.«

24

Massen geparkter Wagen, hin und her laufende Gestalten, Scheinwerferkegel, Konfusion, ein fernes Lichtergeflimmer. Nachdem sie ihren Wagen ungefähr einen Kilometer vom Zentrum des grellen Lichts entfernt abgestellt hatten, folgten Gosseyn und Lyttle einige hundert Meter weit dem Menschenstrom, bis sie einen Punkt erreichten, wo die Menge sich staute und viele Menschen, die nur ihre Neugier befriedigen wollten, dem Schauspiel zusahen. Hier begann der schwierigste Teil ihres Unternehmens.

Schwärme von Flugmaschinen schwirrten über den Köpfen der Menge, beladen mit Plünderungsgut. Aber das war nicht so schlimm. Hätte man nur diese Transportmethode verwendet, wäre die Gefahr viel geringer gewesen. Aber man setzte auch Lastwagen ein — Lastwagenkolonnen mit blendenden Scheinwerfern, die mit mörderischer Geschwindigkeit scharf an den Rändern der Menschenmassen entlangsteuerten. Und die Menge, ständig im Begriff, die Straße zu überschwemmen, ließ nur noch eine schmale Bahn frei.

Langsam arbeiteten sich Gosseyn und Lyttle auf diesem gefährlichen Pfad vorwärts. Sie mußten auf Lücken in der Kette der Lastwagen achten und sich wieder gegen die Mauer der lebendigen Leiber pressen, wenn ein neues motorisiertes Rudel heranjagte.

Schließlich gelangten sie an einen Stahlzaun, den die beteiligten Abbruch- und Schrottverwertungsunternehmen gegen die Zuschauermenge errichtet hatten. Es war eine wirksame Barriere, und wer sie überkletterte, zog sich meistens vor den drohenden Schußwaffen der Wachen zurück, die in kleinen Gruppen auf der anderen Seite des Zauns standen.

»Wir bleiben am Straßenrand!« rief Gosseyn seinem Gefährten zu. »Auf die Lastwagen werden sie nicht ohne weiteres schießen.«

Im Augenblick, als sie durchbrachen, rannten zwei Wachen

brüllend und gestikulierend auf sie zu und versuchten ihnen den Weg abzuschneiden. Sie rissen ihre Maschinenpistolen hoch, und Gosseyn schoß sie aus zehn Meter Entfernung nieder. Über sich selbst erschrocken, rannte er Lyttle nach. Er, der sich nie für fähig gehalten hatte, einen Menschen zu töten — erbarmungslos. Die Wächter waren Symbole, dachte er düster, Symbole der Zerstörung. Er vergaß sie, als er die Überreste der Maschine vor sich sah.

In den letzten Stunden hatte Gosseyn seine Hoffnungen auf ein Gesetz der Logik gesetzt, ein Gesetz, das besagte, eine Maschine, die in den Jahren erbaut worden war, könne nicht innerhalb vierundzwanzig Stunden abgerissen werden. Seine Annahme war weniger richtig, als er vermutet hatte; die Maschine war sichtlich kleiner. Der Volltreffer des atomaren Torpedos hatte das obere Viertel des riesigen Bauwerks glatt abgerissen, und überall in der schimmernden Stahlhülle klafften gewaltige Löcher. Die Außentreppen und Galerien, in denen die Einzelkabinen untergebracht waren, hatten sich unter dem ungeheuren Luftdruck verformt und waren eingedrückt. Zerrissene und verknäuelte Massen von Kabeln und Instrumenten waren, bloßgelegten Eingeweiden gleich, hinter aufgeplatzten und zerfetzten Verkleidungen sichtbar — die äußeren Teile des Nervensystems der toten Maschine.

Wie er so dastand und an dem gigantischen Wrack hinaufblickte, dachte Gosseyn sich die Maschine zum erstenmal als einen hochentwickelten Organismus, der einst gelebt hatte und nun tot war. Was war das intelligente Leben anderes als das empfindliche Bewußtsein eines Nervensystems mit der Fähigkeit, Erfahrungen zu sammeln und zu speichern? In der ganzen Menschheitsgeschichte hatte es nie einen Organismus gegeben, der über ein so umfangreiches Gedächtnis, einen so großen Erfahrungsschatz und eine so eingehende Kenntnis der menschlichen Natur verfügte wie die Maschine. Wie durch eine Glaswand hörte Gosseyn seinen Gefährten rufen: »Los, weiter! Wir dürfen uns nicht aufhalten!«

Gosseyn bewegte sich vorwärts, aber es war, wie wenn nur sein Körper Dan Lyttle folgte. Seine Blicke und Gedanken hingen weiter an der Maschine. Aus der Nähe gesehen, war das Ausmaß der Abwrackarbeiten erst richtig zu erkennen; ganze Sektionen waren bereits abgerissen, an anderen war die Arbeit in vollem Gange. Mit Maschinenteilen, Instrumenten und Metallplatten beladene Männer schwärmten aus den dunklen Korridoren wie Ameisen. Der Anblick traf Gosseyn wie ein neuer Keulenschlag. Wieder brachte ihn die Erkenntnis, daß er Zeuge des Untergangs einer Ära war, unwillkürlich zum Stehen.

Lyttle zerrte ihn am Ärmel weiter. Sie rannten, wichen geblendet den rumpelnden Lastwagen aus, gerieten ins gleißende Licht der rings um die Maschine aufgestellten Tiefstrahler und verhielten atemlos.

»Hinten herum«, keuchte Gosseyn und stürzte weiter zu der überdachten Rampe, wo der Lieferwagen mit dem verpackten Verzerrer verschwunden war. Hier, in den rückwärtigen Sektionen der Maschine, war der Lärm nicht mehr so groß und die Zahl der Männer und Lastwagen geringer, obgleich überall Aktivität herrschte. Das Zischen von Schneidbrennern, das dröhnende Krachen fallender Metallteile, die Konfusion — alles war da, nur auf einer weniger verwirrenden, weniger hektischen Ebene. Wenn im vorderen Teil der Maschine fünfhundert Männer an der Arbeit waren, so waren es hier hinten fünfzig.

Gosseyn und Lyttle erreichten die Verladerampe. Kaum ein Dutzend Lastwagen hielt dort. Man hatte zusätzliche Türen in die Wand der großen Lagerhalle geschnitten, aus deren Tiefen Kisten, Maschinen, Instrumente und Schrottmetall herangekarrt wurden.

Die Lagerhalle war fast leer, und die Lattenkiste mit dem Verzerrer stand für sich allein in einer Ecke, als ob jemand sie für Gosseyn und Lyttle bereitgestellt hätte. Die Vorderseite der Kiste war mit einer großen, aufgestempelten Adresse versehen:

Institut für Semantik
Forschungsabteilung
Korzybskiplatz 4

Die Anschrift löste in Gosseyn eine Reihe von Überlegungen aus. Die Maschine und ihr Betrieb unterstanden der gesetzlich garantierten Kontrolle des Instituts. Hatte die Maschine schon viel über ihn gewußt, so wußten die Leute dort vielleicht noch mehr. Das war eine Sache, der er so bald wie möglich nachgehen mußte.

Sie schleppten die Kiste ins Freie und aus dem Lichtschein, ohne daß jemand sich um sie kümmerte. Mit zunehmender Entfernung verebbte der Lärm hinter ihnen. Im Schutz der Dunkelheit umgingen sie den Menschenauflauf, stiegen in den abgestellten Wagen und erreichten bald darauf Dan Lyttles kleines Haus. Lyttle lenkte den Wagen mit abgeschalteten Scheinwerfern in den Hof. Gosseyn hegte die unbestimmte Erwartung, daß Patricia Hardie bereits auf sie wartete. Aber sie war nicht da. Sie trugen die Kiste in den Wohnraum, brachen sie auf und legten das Gerät mit der Frontseite nach oben auf den Boden. Dann setzten sie sich und betrachteten das Ding. Helles, stahlhartes, fremdes Metall — Zerstörer einer Welt! Mit seiner Hilfe hatten die Agenten eines galaktischen Eroberers unbemerkt in alle Schlüsselpositionen auf der Erde eindringen können. Die Entführung des Verzerrers hatte sich als einer der letzten Schritte in der Krise des Null-A erwiesen.

Nach ihrer Befreiung hatte die Maschine die Wahrheit gesendet und den venusianischen Krieg auf die Erde gebracht. Wie immer der Konflikt ausgehen mochte, die Streitkräfte der Invasoren und der Null-A-Anhänger standen im Kampf gegeneinander oder waren im Begriff, die Kampfhandlungen zu eröffnen. Gosseyn fühlte Verzweiflung in sich aufkommen. Von welchem Gesichtspunkt man es auch ansah, alle Logik sprach dafür, daß der Kampf bereits verloren war. Er sah, daß Lyttle übermüdet war; der junge Mann ließ den Kopf hängen. Als er Gosseyns Blick auf sich fühlte, lächelte er entschuldigend.

»Ich war gestern so aufgeregt«, bekannte er, »daß ich kein Auge zutun konnte. Heute wollte ich Antischlaftabletten kaufen, aber ich vergaß es.«

Gosseyn sagte: »Legen Sie sich auf die Couch und versuchen Sie zu schlafen.«

»Damit mir entgeht, was Sie mit dem Ding da machen? Nicht für mein Leben.«

Gosseyn lächelte. »Viel kann ich nicht tun. Zuerst will ich feststellen, wo die Energiequelle ist, von der die Röhren gespeist werden, damit ich das Gerät an- und abschalten kann. Dazu brauche ich ein paar einfache Werkzeuge und Instrumente und viel Zeit. Zeigen Sie mir, was Sie in Ihrem Werkzeugschrank haben, und legen Sie sich dann ins Bett.«

Fünf Minuten später war er allein. Er war entschlossen, sich Zeit zu nehmen. Von Anfang an hatte er sich in hektischer Eile bewegt und praktisch nichts erreicht. Die Welt des Null-A, zu deren Retter er sich einst berufen gefühlt hatte, war zusammengebrochen.

Immerhin versprach er sich von dieser Untersuchung einige

Aufschlüsse über die Arbeitsweise des Geräts. Patricia hatte gesagt, daß es verboten sei — vermutlich von der Galaktischen Liga, dieser schwächlichen Organisation, doch sie hatte erwähnt, daß sein Gebrauch für Transportzwecke erlaubt sei. Was bedeutete das? Er nahm einen Energieprüfer aus Lyttles Werkzeugkasten, stellte die Meßschraube ein und spähte von Zeit zu Zeit durch das kleine Guckloch. Nach ein paar Feineinstellungen konnte er ins Innere des Verzerrers sehen.

Was diese erste Untersuchung vereinfachte, war, daß er nicht in die Röhren sehen konnte. Das Problem, in der komplizierten Anlage die Organisation ausfindig zu machen, reduzierte sich so auf ein bloßes Verfolgen der Leitungen und ihrer Anschlüsse. Auch hier hatte Gosseyn Glück, denn seine Suche nach der Energiequelle ergab schon bald, daß das Gerät unter Spannung stand. Er hatte für selbstverständlich gehalten, daß die Maschine das Ding abgeschaltet hatte. Es dauerte zehn Minuten, bis er sich vergewissert hatte, daß es anscheinend keine Möglichkeit gab, die Energie abzuschalten. Das Ding war in Betrieb. Die Maschine hätte natürlich durch das Metall des Gehäuses einen Kurzschluß in der Verdrahtung herbeiführen können, aber Gosseyn besaß nicht die dafür nötigen Anlagen. Er wußte nicht weiter, und weil er Lyttle versprochen hatte, daß er auf eigene Faust nichts unternehmen würde, beschloß er, sich schlafen zu legen. Es war möglich, daß Patricia Hardie doch noch vor dem Morgen kommen würde, und bis dahin konnte er ein paar Stunden ausruhen.

Aber als er aufwachte, war sie nicht da. Niemand war im Haus. Es ging schon gegen Mittag, und auf dem Küchentisch lag eine Notiz von Lyttle, daß er zur Arbeit gegangen sei und den Wagen zu Gosseyns Verfügung im Hof stehengelassen habe.

Er suchte sich etwas zu essen, kehrte in den Wohnraum zurück und starrte mit gefurchter Stirn auf den Verzerrer, unzufrieden mit seiner Lage. Er befand sich hier in einem Haus, wo man ihn in fünf Minuten fangen konnte, und es gab mindestens zwei Personen in der Stadt, die von seinem Aufenthalt wußten.

Es war nicht so, daß er Patricia oder Dan Lyttle mißtraute. Das Geschehen der letzten Tage und Stunden hatte hinreichend bewiesen, daß sie auf seiner Seite standen. Aber es war beunruhigend, wieder abhängig zu sein, angewiesen auf das Tun und Lassen anderer Leute.

Bis zum Dunkelwerden konnte er das Haus nicht verlassen, und weil es keine andere sinnvolle Beschäftigung gab, blieb nur die Arbeit am Verzerrer. Unschlüssig ließ er sich neben dem Gerät auf die Knie nieder und berührte vorsichtig den durch die Perforation ragenden Kopf der nächstbesten Röhre. Er wußte selbst nicht, was er sich davon versprach, aber er war auf einen Schock oder einen elektrischen Schlag gefaßt. Die Röhre fühlte sich warm an, mehr geschah nicht. Gosseyn betastete sie einen Moment, versuchte sie zu drehen, irritiert von seiner eigenen Vorsicht. Wenn ich fliehen muß, dachte er, werde ich eine Handvoll Röhren herausziehen und mitnehmen.

Er stand auf, holte das Prüfgerät und begann den Verzerrer von neuem zu untersuchen. Er saß immer noch da, als das Videophon summte. Lyttle war am anderen Ende, und seine Stimme bebte vor Erregung.

»Ich rufe von einer öffentlichen Zelle. Eben habe ich die neue Abendzeitung gekauft. Darin steht, daß Patricia Hardie heute vormittag verhaftet worden ist, und zwar — passen Sie auf, es ist grotesk — wegen Mordes an ihrem Vater. Mr. Wentworth, wie lange dauert es, bis man einen Null-A zum Sprechen bringt?«

»Da gibt es keine feste Zeitspanne«, sagte Gosseyn. Er fröstelte plötzlich. In seinem Kopf war etwas wie eine Eisenplatte, die einen mächtigen Schlag erhalten hat und nun heftig vibriert. Thorson spielte sein Spiel unerbittlich. Er fand seine Stimme wieder.

»Hören Sie«, sagte er. »Ich muß Ihnen selbst die Entscheidung überlassen, ob Sie bis Mitternacht an Ihrem Arbeitsplatz bleiben oder nicht. Wenn Sie jemanden kennen, wo Sie unterkriechen können, gehen Sie hin. Halten Sie sich verborgen. Wenn Sie glauben, daß Sie nach Hause kommen müssen, tun Sie es vorsichtig. Vielleicht lasse ich den Verzerrer hier, vielleicht nicht. Ich werde versuchen, ein paar Röhren herauszuziehen, dann mache ich mich aus dem Staub. Und Dank für alles, Dan.«

Er wartete, aber es kam keine Antwort, und er legte auf. Sofort machte er sich über den Verzerrer her. Die Eckröhre, an der er vorhin herumgetastet hatte, ragte wie alle anderen Röhren etwa eineinhalb Zentimeter aus der glatten, perforierten Oberfläche des Geräts. Er faßte sie zwischen Daumen und Zeigefinger und zog mit allmählich verstärkter Kraft. Sie wollte nicht heraus.

Er kehrte seine Anstrengung um und drückte, statt zu ziehen. Vielleicht hatte die Röhre eine Sockelhalterung, die ausgelöst werden mußte. Die Röhre gab mit leisem Klicken nach. Gosseyn fühlte etwas mit seinen Augen geschehen, es war eine Überanstrengung, denn die Luft im Raum flimmerte und machte alle Konturen undeutlich. Alles schien zu vibrieren, bis ins letzte Molekül zu zittern, wie das kristallklare Spiegelbild auf einem Teich, in den ein Stein geworfen wird.

Sein Kopf begann zu schmerzen. Er fummelte mit seinen Fingern herum und suchte die Röhre, aber sie war schwer zu sehen. Er schloß einen Moment die Augen, doch das besserte nichts. Als er die Röhre anfaßte und zurückzuziehen versuchte, war sie brennendheiß. Eine seltsame Benommenheit überkam ihn, und er schwankte und fiel vornüber auf das Gerät. Er kam sich auf einmal leicht wie eine Feder vor, aber auch kraftlos und unfähig, sich wieder aufzurichten.

Erstaunt öffnete er die Augen. Er lag auf der Seite, es war völlig dunkel, und er hatte den aromatischen Duft frischen Holzes in der Nase. Es war ein irgendwie vertrauter Duft, aber es dauerte lange, bis Gosseyn den ungeheuren Gedankensprung machen konnte, der nötig war, um diesen Duft mit der Realität in Zusammenhang zu bringen. Der Duft war der gleiche, der ihn bei seiner Wanderung durch den Baumtunnel unter Crangs Haus auf der Venus begleitet hatte.

Gosseyn sprang erschrocken auf, fiel beinahe, als er über etwas Metallisches stolperte, und spürte zuerst eine, dann die andere Wand unter seinen Händen. Es konnte keinen Zweifel mehr geben. Er befand sich in einem Tunnel in den Wurzeln eines Baumgiganten auf der Venus.

25

Der verzehrende Hunger des unkritischen Geistes nach dem, was er sich als Gewißheit oder Endgültigkeit vorstellt, treibt ihn dazu, sich an Schattenbildern zu ergötzen.

E. T. B.

Der Energieverbrauch, der ihn befähigt hatte, aufzustehen und seine Umwelt zu identifizieren, verging plötzlich. Gosseyn setzte sich schwer hin. Seine Hände zitterten, seine Knie waren weich.

Die Finsternis preßte gegen seine Augen und in sein Gehirn. Er fühlte die Kleider an seinem Leib und den massiven hölzernen Boden unter sich, aber in dieser vollkommenen Schwärze war Substanz, ob belebt oder unbelebt, fast ein bedeutungsloser Begriff.

»Ich kann«, sagte sich Gosseyn, »zwei Wochen ohne Nahrung auskommen, drei Tage ohne Wasser.«

Er war sich bewußt, daß diese Worte pessimistischer waren, als er sich fühlte, trotz seiner Erinnerung an kilometerlange schwarze Tunnels. Denn sie hätten eine Verzerrerröhre niemals auf irgendeinen beliebigen Teil eines venusianischen Baumtunnels eingestellt. Es mußte ein besonderer Ort in der Nähe sein, leicht zugänglich von der Stelle, an der er sich befand.

Er war im Begriff, wieder auf die Beine zu kommen, als er zum erstenmal die Ungeheuerlichkeit des Geschehens begriff. Vor ein paar Minuten war er noch auf der Erde gewesen. Jetzt war er auf der Venus.

War es das, was Prescott gemeint hatte? »Wenn zwei Energien so aufeinander abgestimmt werden, daß die Annäherung an die absolute Gleichartigkeit zwanzig Dezimalstellen erreicht, wird die größere den Raumabstand zwischen ihnen überbrükken, als ob es keine räumliche Entfernung gäbe, obwohl der Zusammenschluß mit begrenzten Geschwindigkeiten erfolgt.«

Gosseyn begann sich besser zu fühlen. Der Verzerrer hatte den hochorganisierten Energiekomplex, der sein Körper war, auf diese Sektion des Baumtunnels abgestimmt, und die ›größere‹ Energie hatte den Raumabstand zur ›geringeren‹ überbrückt.

Gosseyn stand auf und dachte: Nun, ich bin also auf der Venus — dort, wo ich sein wollte. Seine Stimmung verbesserte sich. Trotz aller seiner Fehler war er immer noch ein freier Mann, immer noch dabei, Fortschritte zu machen. Er wußte eine Menge, und selbst das, was er nicht wußte, erschien ihm plötzlich erreichbar. Er brauchte nur noch zu lernen, tiefer zu sehen, mehr von der Realität zu abstrahieren und sein Denken zu verfeinern und zu präzisieren, und der Schleier würde aufreißen, das Geheimnis seinen Sinnen zugänglich werden.

Er erinnerte sich an den Metallgegenstand, über den er beim ersten Versuch, sich zu erheben, gestolpert war. Er fand ihn nach ein paar Sekunden, befühlte ihn und merkte, daß es der

Verzerrer war, wie er halb erwartet hatte. Vorsichtig berührte er nacheinander die vier Eckröhren. Eine von ihnen war eingedrückt, immer noch eingedrückt. Gosseyn überlegte. Der Verzerrer war von Leuten eingestellt worden, die ihre eigenen Ziele und Absichten hatten. Einige der Röhren waren dazu bestimmt, die Maschine der Spiele zu lähmen und Radioverlautbarungen unmöglich zu machen, aber andere vermochten ihn sicherlich zu anderen Teilen des Sonnensystems zu befördern, möglicherweise zu Zentren der verschwörerischen Aktivität — militärischen Hauptquartieren, dem geheimen galaktischen Stützpunkt, Lagerplätzen atomarer Torpedos und so fort.

Dieses mögliche Potential erschreckte ihn, aber die damit verbundenen Möglichkeiten waren nicht für jetzt. Dies war nicht der Zeitpunkt für unnötige Risiken oder unsichere Experimente. Je eher er von hier wegkäme, desto besser. Behutsam hob er das Gerät auf und begann sich durch die Dunkelheit vorwärtszutasten.

Als er nach ungefähr dreihundert Schritten eine scharfe Krümmung des Tunnels erreichte, gewahrte er einen Lichtschimmer voraus. Der Tunnel machte noch drei weitere Biegungen, aber der Lichtschein, obschon heller und offenbar nahe, blieb weiterhin ohne sichtbaren Ursprung. Dann sah Gosseyn die Silhouette eines Geländers.

Er legte das ungefüge Gerät auf den Boden und bewegte sich vorsichtig weiter. Die letzten Meter legte er auf Händen und Knien zurück, dann blickte er durch die Geländerstäbe in eine riesenhafte metallisch schimmernde Grube hinab, die in regelmäßigen Abständen von ungeheuer lichtstarken Scheinwerfern erhellt wurde. Die Grube mochte etwa drei Kilometer lang, eineinhalb Meter breit und fünfhundert Meter tief sein, und im entfernteren Teil der Grube war ein Schiff — ein Schiff, wie es der Phantasie eines visionär begabten Erdenbewohners hätte entsprungen sein können.

Das Schiff in der Grube war knapp zwei Kilometer lang. Sein breiter Rücken mit der mächtigen Stabilisierungsfinne reichte bis auf ungefähr fünfzig Meter an die Decke heran.

Die Entfernung verwischte Details, aber auch so sah Gosseyn die winzigen Gestalten, die den Schiffsbauch umschwärmten. Sie schienen Kontakt mit etwas unter dem Boden der Grube zu haben, denn ununterbrochen eilten Haufen dieser ameisenhaften Gestalten zwischen dem Schiff und einer Reihe viereckiger Kästen hin und her, die kaum etwas anderes als Materialaufzüge aus unteren Stockwerken sein konnten.

Nachdem Gosseyn eine Weile zugesehen hatte, begann er, einen Plan hinter diesem scheinbar planlosen Gewimmel zu sehen. Das Schiff wurde startbereit gemacht. Viele der kleinen Gestalten kletterten an Bord des Schiffes, andere zogen sich in die Aufzugschächte zurück. Nach einer halben Stunde war kein lebendes Wesen mehr zu sehen. Stille senkte sich über die gleißende Weite der Grube herab. Gosseyn wartete.

Draußen mußte Nacht sein; für die Manöver solcher Schiffe würden sie die Nacht abwarten. In ein paar Minuten würde die Decke sich öffnen, eine Decke mit einer Wiese obendrauf, als Tarnung für den Riesenhangar hier unten. Sie würde irgendwie hochklappen.

Während Gosseyn sich noch mit solcherlei Spekulationen beschäftigte, erloschen plötzlich sämtliche Lichter. Auch das paßte. Aber dann erwachte das Schiff zum Leben, nicht die Decke.

Das Schiff begann zu glühen. Eine schwache Ausstrahlung ging von jedem Quadratmeter seiner Oberfläche aus, ein unbestimmtes grünes Licht, so schwach, daß der Mondschein daneben sonnenhell gewesen wäre. Gosseyn verspürte einen Schmerz in den Augen.

Ihm fiel ein, daß der Verzerrer den gleichen Effekt auf seine Augen gehabt hatte. Das Schiff schien auf die planetarische Basis eines anderen Sterns abgestimmt zu sein; die Decke würde sich nicht öffnen — es gab gar keine Öffnung. So unvermittelt Augenschmerzen und Unwohlsein aufgetreten waren, so plötzlich waren sie vorbei. Der grüne Schimmer vor ihm erlosch.

Das Riesenschiff war fort.

Vier der grellen Scheinwerfer leuchteten auf. Jeder von ihnen war so hell wie eine Miniatursonne, aber ihr weißes Feuer vermochte die Schwärze der weiten Höhlung nur unvollkommen auszuleuchten.

Gosseyn hob den Verzerrer auf und begann, dem Geländer um den Rand der Grube zu folgen. Er wußte nicht genau, was er suchte. Er verspürte nicht das geringste Verlangen, in die metallisch schimmernde, trogförmige Mulde hinunterzusteigen, aber irgendwo mußte es hier einen Ausgang zur Oberfläche geben, eine Treppe, einen Aufzug, irgend etwas.

Es war ein Aufzug, vielmehr eine Reihe von Aufzugschächten. In zwei Schächten hielten Fahrkörbe. Gosseyn zog am Türgriff des ersten, und die Schiebetür glitt geräuschlos zur Seite. Er betrat den Fahrkorb und untersuchte neugierig die Bedienungsanlage. Sie war komplizierter, als er erwartet hatte, eine glatte Metalltafel mit ausgestanzten Öffnungen, aus denen die Köpfe von elektronischen Röhren ragten. Gosseyn fühlte, wie das Blut aus seinen Wangen wich. Dieser Aufzug mußte nach demselben Prinzip arbeiten wie der Verzerrer. Er ging nicht nur abwärts oder aufwärts. Es gab — Gosseyn zählte die Röhren — zwölf Zielpunkte.

Er ächzte leise. Nach einigen Sekunden der Ratlosigkeit untersuchte er die Röhren nacheinander, um zu sehen, ob sie markiert waren. Zu seiner Erleichterung stellte er fest, daß jede von ihnen mit einem Strich gekennzeichnet war, der auf einem kürzeren Querstrich als Basis stand. Alle zwölf unterschieden sich in der Stellung der Striche voneinander, und bei nur einer Röhre zeigte der Strich gerade nach oben. Gosseyn zögerte nicht. Vielleicht führte sein Entschluß ihn direkt in Gefangenschaft, aber diese Gefahr mußte er riskieren. Er drückte die Röhre in ihre Halterung.

Diesmal versuchte er den Vorgang zu beobachten, doch die anästhesieartige Verwirrung seiner Sinne beeinflußte auch sein Gehirn. Als er wieder klar sehen konnte, hatte die Szene vor dem Aufzug sich verändert.

Er befand sich — das glaubte er mit Gewißheit zu erkennen — in einem Baum. Vor der transparenten Tür des Fahrkorbs war ein unpolierter, natürlicher Raum mit sehr rauhen und unebenen Wänden und vielen dunklen Winkeln. Durch eine Öffnung weiter oben drang Licht herein.

Gosseyn versteckte den Verzerrer in einem der Winkel und stieg vorsichtig zu der Öffnung empor. Er kam in einen steil aufwärts führenden Gang, der sich zusehends verengte. Nach halbem Wege wurde ihm klar, daß er das Gerät nicht durchbringen konnte. Das war eine unangenehme Erkenntnis, ließ sich aber nicht ändern. Er mußte mit den Venusianern Verbindung aufnehmen. Später könnte er dann mit ihrer Hilfe zurückkommen und den Verzerrer holen.

Auf dem letzten Drittel der Strecke mußte er sich mit den Händen an Vorsprüngen und Kanten im trockenen, stellenweise morschen Holz hinaufziehen. Er kam auf einem breiten unteren Ast ins Freie, auf allen vieren aus einem Loch kriechend, das kaum doppelt so groß war wie sein Körperumfang. Es war ein unregelmäßig geformtes, natürlich aussehendes Loch. Wahrscheinlich gab es in diesem titanischen Baum Hunderte ähnlicher Löcher, und so kam es darauf an, daß er sich seinen Standort sorgfältig einprägte.

Auf einer Seite erstreckte sich eine breite Wiese, vielleicht über der Grube, auf der anderen war dichter venusianischer Wald. Gosseyn orientierte sich, und dann ging er auf dem dikken Ast weiter. Nach ungefähr siebzig Metern traf dieser mit dem ähnlich massiven Ast eines anderen Baumes zusammen. Gosseyn fühlte etwas wie jungenhaften Forschungsdrang in sich, als er es sah. Sicher vergnügten die Venusianer sich oft mit solchen Baumwanderungen. Hier konnte er kilometerweit gehen, ohne auf den Boden absteigen zu müssen, es sei denn, der Wald endete vorher. Er beschloß, eine sichere Distanz zwischen sich und die unterirdische Raumflugbasis zu legen. Dann . . .

Er war annähernd fünfzig Schritte vorangekommen, als die Borke unter ihm einbrach. Er fiel schwer auf einen harten Boden, und sofort klappte die lange Falltür über ihm zu, und er lag im Finstern. Aber das kam ihm kaum zu Bewußtsein, denn kaum war er am Boden aufgeprallt, da neigte sich dieser unter ihm und kippte abwärts — vierzig, fünfzig, siebzig Grad. Gosseyn tat einen letzten verzweifelten Sprung aufwärts, spürte glattes Holz unter seinen krallenden Fingern und rutschte unaufhaltsam in die Tiefe. Es war keine lange Reise, nicht weiter als zehn oder fünfzehn Meter, aber die Folgerungen, die sich daraus ergaben, waren unabsehbar. Er war gefangen.

Er gab nicht auf. Noch im Rutschen versuchte er auf die Beine zu kommen und wieder hinaufzuklettern, bevor er wer weiß in welcher Tiefe anlangte. Vergebens. Einen Moment später fühlte er festen Boden unter den Füßen, sprang so hoch er konnte und angelte in der Dunkelheit nach einem Halt, ohne etwas anderes als Luft zwischen den Fingern zu fühlen. Er landete auf den Füßen, behielt das Gleichgewicht und stand still. Wenn es einen Ausweg gab, mußte er ihn innerhalb von Minuten finden.

Bisher schien alles automatisch gegangen zu sein, aber die bloße Tatsache, daß solche Falltüren existierten, war deprimierend. Irgendwo schrillten jetzt Alarmklingeln. Er mußte einen Ausweg finden, bevor jemand kam, oder alles war verloren.

Er warf sich auf die Knie und tastete mit ausholenden, halbkreisförmigen Armbewegungen den Boden ab. Mit der rechten

Hand erreichte er einen Teppichzipfel, krabbelte über den Teppich und befingerte nacheinander eine Kommode, einen Tisch, einen Sessel und ein Bett. Ein Schlafzimmer! Da mußte es auch einen Lichtschalter geben, zumindest aber eine Bettlampe. Eine Minute später konnte er sich in seinem Gefängnis umsehen.

Es war nicht schlecht. Das Schlafzimmer war eine Art Alkoven, der sich in einen großen Wohnraum öffnete, kaum kleiner und kaum weniger luxuriös eingerichtet als der in Crangs Wohnung. Bilder hingen an den Wänden, aber Gosseyn nahm sich nicht die Zeit, sie zu betrachten, denn sein Blick war auf eine geschlossene Tür gefallen. Ein Geräusch kam aus der Richtung, das Geräusch eines Schlüssels, der im Schloß gedreht wurde.

Gosseyn wich zurück und zog seine Pistole. Im nächsten Moment wurde die Tür aufgestoßen und zwei oder drei Maschinenpistolen richteten sich auf ihn. »Keine Dummheiten, Gosseyn!« rief Jim Thorsons Stimme. »Lassen Sie das Ding fallen!«

Es blieb ihm nichts anderes übrig. Die Soldaten kamen herein, hoben seine Pistole auf und durchsuchten ihn. Dann betrat Jim Thorson das Zimmer.

26

Der Botschafter der Liga landete auf einer weiten metallenen Plattform. Langsam schritt er an die Brüstung, den palastartigen Bau hinter sich lassend, und starrte voll Unbehagen auf den Dschungel, der viertausend Meter unter ihm lag und bis zum Horizont und wahrscheinlich weit darüber hinaus reichte.

Vermutlich, so dachte er, erwartet man von mir, daß ich mit den Größenwahnsinnigen auf die Jagd gehe, die Jagdhütten von derartigen Ausmaßen bauen.

»Hier entlang, Euer Exzellenz«, murmelte eine Stimme hinter ihm. »Die Jagdgesellschaft wird in einer Stunde aufbrechen, und Enro der Rote möchte unterwegs mit Ihnen konferieren.«

»Sagen Sie Seiner Exzellenz, dem Außenminister des Größten Imperiums«, begann der Botschafter fest, »daß ich eben erst eingetroffen bin und daß ...«

Er verstummte, ohne die Ablehnung auszusprechen. Niemand, schon gar nicht ein Abgesandter der Liga, konnte sich leisten, Einladungen des Herrschers über ein Imperium von sechzigtausend Sternsystemen abzulehnen. Bescheiden endete er: ». . . und daß ich mich bereithalten werde.«

Es war ein blutdürstiges Geschäft. Für jedes jagdbare Wild auf diesem Planeten der Bestien gab es ein besonderes Gewehr, und jedem Teilnehmer an der Jagdpartie stand eine geräuschlose Maschine zur Verfügung, die das Sortiment von Jagdwaffen trug. Die Roboter waren immer zur Stelle und hielten einem das jeweils passende Gewehr hin, doch kamen sie nie störend in die Quere. Die gefährlichsten Tiere wurden durch Energieschirme auf Distanz gehalten, während die Jäger ihre günstigsten Schußpositionen suchten.

Da war ein schlankes, langes und kräftiges Huftier von grauer Farbe, das nach einem wilden Ausbruchsversuch erkannte, daß es gefangen war. Es setzte sich auf die Keulen und begann ein klagendes Geschrei auszustoßen. Enro der Rote schoß ihm eigenhändig eine Kugel durch das Auge. Das Tier kippte auf die Seite und lag eine Minute lang wimmernd und zuckend, bevor es endlich verstummte. Anschließend, auf dem Rückweg zu jener gigantischen Kombination aus Jagdhütte und Sommerresidenz, kam der rothaarige Riese an die Seite des Botschafters.

»Großartiger Sport, wie?« grollte er. »Allerdings fiel mir auf, daß Sie nicht viel geschossen haben.«

»Es ist das erstemal«, entschuldigte sich der andere. »Ich war fasziniert, schockiert und entsetzt.« Der große Mann lächelte sardonisch.

»Ihr Leute von der Liga seid alle gleich«, erklärte er.

»Sie müssen berücksichtigen«, erwiderte der Botschafter kühl, »daß die Liga zu einer Zeit von den neunzehn galaktischen Imperien gegründet wurde, als sie einander in fruchtlosen und unentschiedenen Kriegen zerstörten. Das Geschäft der Liga ist die Erhaltung des Friedens, und wie alle Institutionen hat sie im Laufe der Zeit Männer geschaffen, die nicht nur Frieden predigen, sondern Frieden denken.«

»Manchmal«, sagte Enro unmutig, »glaube ich, daß ich den Krieg vorziehe, wie destruktiv er auch sein mag.«

Der Botschafter antwortete nicht, und nach kurzer Zeit hörte Enro auf, seine Unterlippe zu benagen, und sagte schroff: »Nun, was haben Sie auf dem Herzen?«

»Wir haben in jüngster Zeit festgestellt«, begann der Botschafter diplomatisch, »daß Ihr Transportministerium übermäßige Aktivität entfaltet.«

»In welcher Weise?«

»Der Fall, auf den ich mich beziehe, ist der eines Sonnensystems, das von seinen Einwohnern Sol genannt wird.«

»Der Name ruft keine Erinnerung wach«, sagte Enro kalt. »Vielleicht können Sie Ihre Angaben ein wenig präzisieren.«

Der Botschafter verbeugte sich. »Unterlagen befinden sich zweifellos im zuständigen Referat Ihres Außenamtes, und das Problem ist sehr einfach. Ihr Transportministerium richtete dort vor etwa fünfhundert Jahren ohne Erlaubnis der Liga einen Transitstützpunkt ein. Sol gehört zu den Systemen, die erst nach der Unterzeichnung des Abkommens über die Erforschung und Ausbeutung neuer Sternsysteme entdeckt wurden.«

»Hm, hm.« Das Lächeln des rothaarigen Riesen wurde noch sardonischer, und der Botschafter gewann den Eindruck, daß Enro durchaus informiert war. Enro sagte: »Und Sie wollen uns die Erlaubnis geben, den Stützpunkt dort zu behalten?«

»Er muß abgebaut und aufgelöst werden«, erwiderte der Botschafter der Liga fest, »wie es den Artikeln des Abkommens entspricht.«

»Mir scheint das eine ziemlich nebensächliche Angelegenheit zu sein«, sagte Enro nachdenklich. »Reichen Sie mir ein Memorandum für das Transportministerium ein, und ich werde den Fall untersuchen lassen.«

»Aber der Stützpunkt wird aufgegeben?« drängte der Botschafter.

Enro blieb kühl. »Nicht unbedingt. Wenn er schon lange Zeit existiert, könnte seine Aufgabe erhebliche Umdispositionen erforderlich machen. Falls dies so ist, werden wir das Problem dem Rat der Liga unterbreiten und um Bestätigung des Status quo dort ersuchen müssen. Solche Vorfälle sind bei großen stellaren Organisationen nicht immer zu vermeiden. Man muß sie auf eine realistische und elastische Weise behandeln.«

Nun mußte der Botschafter lächeln. »Ich bin überzeugt, daß Eure Exzellenz der erste wäre, der protestieren würde, wenn ein anderes Imperium seinem Besitz gleichsam unter der Hand ein weiteres Sternsystem hinzufügte. Die Haltung der Liga ist in solchen Fällen ganz klar: Wer einen Fehler macht, muß ihn berichtigen.«

Enro blickte finster vor sich hin. »Wir werden die Sache bei der nächsten Sitzung der Liga behandeln.«

»Aber die nächste Sitzung findet erst in einem Jahr statt.«

Enro schien ihn nicht zu hören. »Mir scheint, ich habe von diesem System doch schon einmal gehört. Sehr kriegerische und barbarische Bewohner, wenn ich mich richtig erinnere. Unruhen oder Kriege irgendwelcher Art sind dort in letzter Zeit ausgebrochen, glaube ich.« Er lächelte grimmig. »Wir werden Erlaubnis einholen, die Ruhe und Ordnung wieder herzustellen. Ich bin überzeugt, daß die Delegierten der Liga keine Einwände dagegen haben werden.«

27

Düster sah Gosseyn zu, wie sein Feind im Raum auf und ab ging, ein Riese von einem Mann, mit graugrünen Augen, starken, dominierenden Gesichtszügen und scharfer Hakennase. Seine Mundwinkel zuckten leise, und seine Nasenflügel weiteten und verengten sich beim Atmen. Er setzte sich nicht, bedeutete aber Gosseyn, Platz zu nehmen. Teilnehmend fragte er: »Haben Sie sich bei dem Sturz verletzt?«

Gosseyn zuckte die Achseln. »Nein.«

»Gut.«

Es wurde wieder still. Gosseyn hatte Zeit, sich zu sammeln. Die Bitterkeit über seine neuerliche Gefangennahme begann zu verblassen. Es ließ sich nicht ändern. Ein einzelner Mann in einem feindlichen Stützpunkt war immer im Nachteil. Er wartete.

Thorson rieb sich das Kinn. »Gosseyn«, fing er wieder an, »der Angriff auf die Venus hat ein komisches Stadium erreicht. Unter normalen Umständen ließe sich beinahe sagen, er sei fehlgeschlagen. Ich dachte, das würde Sie interessieren. Aber ob man wirklich von einem Rückschlag sprechen kann oder nicht, wird davon abhängen, wie empfänglich Sie sich für die Idee zeigen, die ich mir ausgedacht habe.«

»Fehlschlag!« echote Gosseyn. Es war ihm unmöglich, Thorson zu glauben. Hundertmal hatte er versucht, sich die Invasion der Venus vorstellen: Soldaten, die in solchen Massen vom Himmel fielen, daß sie den dunstigen Tag über den großen Städten verdunkelten. Millionen unbewaffneter, nichtsahnender Zivilisten, überrumpelt von ausgebildeten und mit Waffen jeder Art ausgerüsteten Truppen. Es erschien ihm wenig glaubhaft, daß ein solcher Ansturm fehlgeschlagen sein sollte.

»Niemand außer mir hat bisher begriffen, wie die Dinge sich

entwickeln«, sagte Thorson langsam, »ausgenommen vielleicht Crang.« Er stand einen Moment stirnrunzelnd da, wie wenn er einem geheimen Gedanken nachhinge. »Gosseyn, wenn Sie die Verteidigung der Venus zu organisieren hätten, welche Maßnahmen würden Sie dann ergreifen — gegen einen Feind, der theoretisch mehr schwere Waffen einsetzen könnte, als Ihnen Männer zur Verfügung stehen?«

Gosseyn zögerte. Er hatte sich natürlich Gedanken über die Verteidigung der Venus gemacht, aber er war nicht gewillt, sie Thorson anzuvertrauen. »Ich habe nicht die blasseste Ahnung«, sagte er.

»Was hätten Sie getan, wenn Sie von der Invasion überrascht worden wären?«

»Nun, ich wäre in den nächsten Wald gegangen.«

»Angenommen, Sie wären verheiratet? Was würden Sie mit Ihrer Frau und Ihren Kindern machen?«

»Sie wären natürlich mit mir gegangen.« Er begann die Wahrheit zu begreifen, und die Vision war verwirrend.

Thorson fluchte. Er schlug seine rechte Faust in die Handfläche seiner Linken. »Aber was hätte das für einen Sinn?« sagte er ärgerlich. »Niemand schleppt Frauen und Kinder in die Wildnis. Unsere Leute hatten Befehl, die Bevölkerung mit Rücksichtnahme und Respekt zu behandeln, außer wo es zu bewaffnetem Widerstand käme.«

Gosseyn sagte unbehaglich: »Ihr Hauptproblem wäre, Waffen in die Hände zu bekommen. Wie haben sie das gemacht?«

Thorson schritt verdrießlich auf und ab, dann trat er an eine Wand, wo ein Bildschirm eingebaut war, drückte einen Knopf und kam zurück. »Es kann nicht schaden«, sagte er achselzuckend, »wenn Sie einen Eindruck bekommen, bevor wir uns weiter unterhalten.«

Er hatte noch nicht geendet, da wurde es im Raum dunkel. Auf dem großen Bildschirm waren rechts die mächtigen Stämme der Mammutbäume zu sehen, links eine Waldlichtung. Auf dem ebenen Grund unter den Bäumen und auf der Lichtung schliefen Soldaten. Es mußten Tausende sein, und sie trugen Uniformen aus einem leichten, grünen Material. Die vielen Schläfer bei Tageslicht daliegen zu sehen, war ein seltsamer Anblick. Viele von ihnen regten sich, wälzten sich im Schlaf herum oder setzten sich auf und rieben die Augen, um bald darauf wieder zurückzusinken.

Wachen patrouillierten durch die Reihen der Schlafenden, und über ihnen kreisten Maschinen in der Luft. Zwei Wachtposten schlenderten in den Bildvordergrund und sprachen miteinander in einem Idiom, das Gosseyn noch nie gehört hatte. Zwar hatte er bereits vermutet, daß dies galaktische Soldaten waren, aber der fremdartige Klang erschreckte ihn trotzdem. Er erschauerte.

»Es sind Altairer«, erklärte Thorson.

Gosseyn begann sich zu wundern, warum Thorson ihm die komische Szene zeigte, als er zuerst an einem, dann an mehreren der Riesenbäume Bewegung sah. Winzige menschliche Gestalten — vor diesem Hintergrund schienen sie nicht viel größer als Ameisen zu sein — kletterten an den mächtigen Rippen und Vertiefungen der Borke herunter. Sie erreichten den Boden und sammelten sich zu kleinen Stoßtrupps, während andere nachgeklettert kamen oder sich wie Affen von den dicken Ästen fallenließen. Alle trugen kurze Knüppel. Eine Minute nach ihrem ersten Auftauchen rannten sie brüllend vorwärts. Zuerst waren sie nur ein Rinnsal, dann ein Fluß, eine Flut, und schließlich waren sie überall, Männer in kurzen braunen Hosen und Sandalen. Der Wald verwandelte sich in einen wimmelnden Ameisenhaufen, aber die Ameisen hatten die Gestalt von Menschen, und sie brüllten und schrien wie Tobsüchtige.

Die Maschinen am Himmel erwachten zuerst. Zischende Feuerstrahlen schossen weißglühenden Tod in die Masse der Angreifer, automatische Waffen mit selbsttätiger Zielkontrolle hämmerten in das tobende Durcheinander. Die halbnackten Angreifer fielen zu Hunderten, und die schrillen Schreie der Sterbenden mischten sich mit dem Lärm der Detonationen und dem anfeuernden Gebrüll ihrer Kameraden. Und nun wachte auch das Lager auf. In Massen sprangen die Soldaten auf und rissen ihre Handfeuerwaffen an sich. Knüppelschwingende Männer brachen ins Lager ein, und als die Minuten verstrichen, wurde ihre Zahl größer und größer, und das Handgemenge breitete sich über die ganze Ausdehnung des Lagers aus. Die automatischen Waffen stotterten zögernder, als wüßten sie nicht mehr, wohin sie feuern sollten. Mit dem allmählichen Verstummen der Feuerwaffen kam das tausendfache Geräusch der kämpfenden Männer klarer durch; ihr Stampfen, Fluchen und Schreien erfüllte die Luft.

Die merkwürdige Unbeholfenheit der Kämpfenden, ihre verzögerten Reaktionen, das ganze, ziellos erscheinende Getümmel brachten Gosseyn eine plötzliche Erleuchtung.

»Mein Gott, findet dieser Kampf im Dunkeln statt?«

»So ist es«, brummte Thorson. »Die Szene ist von Infrarotkameras aufgenommen worden. In der Dunkelheit sind die besten Waffen nicht viel wert. Dabei hat jeder Soldat ein Gerät bei sich, mit dem er nachts sehen kann, aber man muß die Batteriekontakte anschließen und das Ding vor den Helm schnallen.« Er ächzte vor Zorn. »Man kann verrückt werden, wenn man diese Idioten sieht. Benehmen sich dümmer als die dümmsten Soldaten, die es je gegeben hat.« Er schwieg eine Weile, dann seufzte er und fuhr mit viel ruhigerer Stimme fort: »Es hat keinen Zweck, sich aufzuregen. Dieser Überfall fand in der ersten Nacht nach der Invasion statt. Ähnliches geschah in jedem Außenlager, das unsere Soldaten errichtet hatten. Der Effekt war so verheerend, weil niemand damit rechnete, daß unbewaffnete Horden eine der am besten ausgerüsteten Armeen im ganzen galaktischen System angreifen würden.«

Gosseyn hörte kaum hin. Völlig fasziniert beobachtete er die Schlacht. Die Angreifer — es mußten Tausende sein — hatten das Lager überschwemmt. Ihre Toten lagen stellenweise meterhoch übereinander auf dem ganzen Schlachtfeld verstreut, aber sie waren nicht allein. Hier und dort hielten sich noch einzelne Widerstandsnester der galaktischen Soldaten. Immer noch zischte weißglühendes Feuer mörderisch aus einzelnen Strahlpistolen, detonierten Handgranaten, hämmerten Feuerstöße aus Maschinenpistolen, aber alle diese Waffen befanden sich nun nicht mehr ausschließlich in den Händen der Uniformierten.

Zehn Minuten später war über den Ausgang des Gemetzels kein Zweifel mehr möglich. Eine kleine Armee entschlossener und todesmutiger Männer mit Holzknüppeln hatte ein modernes Militärlager überrannt, einige tausend Soldaten getötet und große Mengen Ausrüstung und Material erbeutet.

28

Thorson schaltete das Gerät aus. Im Raum wurde es wieder hell.

»Natürlich«, sagte Thorson, »schickten wir sofort Verstärkungen, und die Venusianer machten keinen Versuch, die Städte anzugreifen. Aber das war auch nicht ihr Ziel. Sie wollten Waffen, und die bekamen sie. Heute ist der vierte Tag der Invasion. Bis heute morgen waren zwölfhundert von unseren Raumschiffen zerstört oder beschädigt. Zahllose Waffen wurden erbeutet und gegen uns eingesetzt. Etwa zwei Millionen unserer Soldaten fanden den Tod oder wurden verletzt. Um das zu erreichen, mußten die Venusianer einen hohen Blutzoll entrichten — fünf Millionen Tote und mindestens ebenso viele Verwundete. Aber nach meiner Ansicht haben sie ihre schwersten Verluste bereits gehabt, während sie uns noch bevorstehen.«

Er blieb in der Raummitte stehen und starrte düster grübelnd auf den Teppich. »Gosseyn, so etwas hat es in der Geschichte noch nicht gegeben. Die Bewohner eroberter Länder oder Planeten pflegen zu Hause zu bleiben, und die große Masse hat sich bisher noch immer in ihr Schicksal gefügt. Haß und Ressentiments gegen die Eroberer mögen ein paar Jahrzehnte oder für die Dauer einer Generation fortbestehen, aber wenn die Propaganda in den Massenmedien richtig gehandhabt wird, fangen die Leute gewöhnlich recht bald an, auf ihre Mitgliedschaft in einem großen Imperium stolz zu sein.«

Gosseyn dachte an die zehn Millionen toten und verwundeten Venusianer, und diese Zahl, verbunden mit der kurzen Zeitspanne von nicht ganz vier Tagen, war so ungeheuerlich, daß er die Augen schließen mußte. Als er sie wieder öffnete, empfand er einen großen Stolz und große Trauer. Die Philosophie des Null-A war gerechtfertigt, geehrt von ihren Toten. Wie ein Mann hatten die Venusianer die Gefahr erkannt und ohne Vorausplanung oder Warnung getan, was nötig war. Es war ein Sieg der geistigen Gesundheit, der sicherlich jeden denkenden Menschen im Universum beeindrucken würde. Und dort draußen auf den Planeten anderer Sterne mußte es viele Menschen guten Willens und viele unabhängig denkende Geister geben. Doch je mehr Gosseyn darüber nachdachte, desto weniger gesichert erschien ihm dieser teuer erkaufte Anfangserfolg. Er beobachtete Thorson mißtrauisch.

»Augenblick«, sagte er langsam. »Was wollen Sie mir da weismachen? Wie könnte ein galaktisches Imperium, das über mehr Soldaten verfügt als es im Sonnensystem Menschen gibt, in vier Tagen besiegt sein? Warum sollte es nicht in der Lage sein, immer neue Armeen zu schicken und, wenn nötig, jeden Null-A auf der Venus zu töten?«

Thorson gab ihm ein schmallippiges Lächeln. »Darüber«, sagte er, »wollte ich mit Ihnen reden.« Er zog einen Stuhl heran und setzte sich rittlings darauf, die Arme auf der Rückenlehne.

»Mein Freund, sehen Sie es so: Das Imperium ist Mitglied der Galaktischen Liga. Die anderen Mitglieder haben im Rat — gemäß ihrer Bevölkerungszahl — eine Mehrheit von drei zu eins, aber wir sind die größte einzelne Macht, die es in Zeit und Raum je gegeben hat. Trotzdem können wir mit Rücksicht auf unsere Verpflichtungen der Liga gegenüber nur innerhalb gewisser Grenzen agieren. Wir gehören zu den Signatarmächten von Verträgen, die Verbote beinhalten. So gibt es zum Beispiel einen Vertrag, der die Verwendung von Kernwaffen verbietet. Wir zerstörten die Maschine mit atomaren Torpedos. Gewiß, es waren sehr kleine Sprengsätze, aber sie waren eben doch nuklear. Nach den Gesetzen der Liga ist Völkermord das größte und schwerste Verbrechen von allen. Wenn Sie fünf Prozent einer Bevölkerung töten, ist das Krieg. Wenn Sie zehn Prozent töten, ist das Massenabschlachtung und wird von der Liga mit der Verhängung von Sanktionen beantwortet. Töten Sie aber zwanzig Prozent, so ist das Völkermord. Wird Ihnen der nachgewiesen, werden Sie — oder in diesem Fall die Regierung der betreffenden Macht — für außerhalb des Gesetzes stehend erklärt, und alle Verantwortlichen müssen zur Aburteilung an die Liga ausgeliefert werden. Bis diese Bedingung erfüllt ist, herrscht Kriegszustand.«

Thorson machte eine Pause und beobachtete Gosseyn, ein humorloses Lächeln im Gesicht. »Vielleicht verstehen Sie jetzt, vor welches Problem die Venusianer uns hier gestellt haben. Wenn die Kämpfe weitergehen wie bisher, werden wir in einer Woche soweit sein, daß uns die schwersten Strafen drohen, mit der Alternative eines Krieges von größtem Ausmaß.«

Sein Lächeln wurde grimmiger. »Natürlich«, sagte er, »werden wir den Krieg fortsetzen, bis ich meinen Weg in dieser Situation klar sehe. Und damit wären wir an dem Punkt angelangt, wo Sie ins Spiel kommen.«

Gosseyn sank langsam in seinen Stuhl zurück. Er machte eine emotionelle Reaktion durch, die sein klares Denken behinderte. Sein Körper schmerzte vor Zorn und Haß auf das galaktische Imperium, das sein machtpolitisches Spiel mit menschlichen Leben spielte. Er fühlte einen verzehrenden Drang, selbst etwas beizutragen, an dem großen Opfer teilzunehmen, das seine Brüder brachten, sein Leben einzusetzen, wie andere es eingesetzt hatten. Der Wunsch, der Bevölkerung der Venus seine Kräfte zur Verfügung zu stellen, war beinahe überwältigend.

Beinahe. Bewußt drängte er diesen Todesimpuls zurück. Was für sie richtig war, war nicht notwendig auch für ihn richtig. Es war das Wesen der Null-A-Denkungsart, zu postulieren, daß keine zwei Situationen gleich sein konnten. Er war Gilbert Gosseyn II, Besitzer des einzigen zusätzlichen Gehirns im Universum. Sein Zweck war, am Leben zu bleiben und seinen besonderen Verstand zu entwickeln. Was immer bei diesem Gespräch herauskommen mochte, er mußte es akzeptieren und irgendwie zu seinem Vorteil wenden.

Er merkte, daß Thorson ihn immer noch ansah. Das Gesicht des großen Mannes hatte sich noch um einiges verdüstert.

»Was mir nicht ganz in den Kopf will, Gosseyn, ist die Rolle, die man Ihnen in diesem Spiel zugedacht hat«, sagte Thorson bedächtig. »Als Prescott meldete, daß Sie auf der Venus wieder aufgetaucht seien, wollte ich es anfangs nicht glauben. Ich schickte Crang aus, damit er Sie holte, und weil ich Ihre Mitarbeit wollte, ließ ich Prescott dieses kleine Spiel machen, bei dem er Ihnen scheinbar zur Flucht verhalf. Es bot uns außerdem eine Gelegenheit, Lavoisseur und Hardie loszuwerden, und durch Dr. Kair brachten wir kurz darauf Genaueres über Ihr Zusatzgehirn heraus. Sie werden uns die dabei angewendeten Methoden vergeben müssen; wir waren nicht wenig bestürzt über Ihr Erscheinen in einem zweiten Körper.

Unsterblichkeit!« Thorson beugte sich vor, die Augen weit geöffnet, als erlebte er noch einmal ein Gefühl, das die Grundfesten seines Seins erschüttert hatte. »Jemand hatte das Geheimnis der menschlichen Unsterblichkeit entdeckt. Einer Unsterblichkeit, die sogar die gewaltsame Zerstörung des Körpers überdauert.« Er warf Gosseyn einen listigen Blick zu. »Sie werden gern wissen möchten, wo wir den Körper Gosseyns des Dritten gefunden haben. Offen gesagt, ich habe diesem Lavoisseur immer ein wenig mißtraut. Nur weil er diesen Unfall gehabt hatte, sollte er sein Lebenswerk verworfen und sich den Feinden Null-A's zugewendet haben? Das erschien mir nicht recht glaubhaft. So machte ich einen Besuch im Institut für Semantik am Korzybskiplatz und . . .«

Er brach ab, und Gosseyn schnappte nach Luft. »Dort war er?« Er wartete die Antwort nicht ab; seine Gedanken rasten weiter, über diese Worte hinaus, zu einem neuen Begreifen. »Lavoisseur!« rief er. »Wollen Sie damit sagen, X sei Lavoisseur gewesen, der Dekan des Instituts für Semantik?«

»Als vor zwei Jahren die Nachricht von seinem Unfall durch die Presse ging«, sagte Thorson, »wußten nur wenige Leute, wie schwer dieser Unfall gewesen war. Aber das tut hier nichts zur Sache. Worauf es ankommt, ist, da war Ihr dritter Körper. Die verantwortlichen Wissenschaftler schworen, daß er erst eine Woche zuvor gebracht worden sei und für die Maschine bereitgehalten werden sollte. Sie gaben an, daß Sie die Maschine angerufen und die Auskunft erhalten hätten, der Körper werde in einer Woche oder so von einem Lieferwagen abgeholt. Aber als ich ihn fand, war er immer noch in seiner Kiste. Ich hatte nicht vor, den Körper zu zerstören, aber meine Männer versuchten ihn aus dem Behälter herauszuheben, und da ging das verdammte Ding in die Luft.

Das ist das Bild, mein Freund. Ich versichere Ihnen, es war tatsächlich ein dritter Gosseyn da. Ich sah ihn mit meinen eigenen Augen, und er sah genauso wie Sie und der erste Gosseyn aus. Dieser Anblick führte mich zu der Entscheidung, das größte persönliche Risiko meiner Karriere auf mich zu nehmen.« Er bewegte seine rechte Hand in einer ausholenden Geste. »Was ich Ihnen vorhin über die Liga und ihre Bestimmungen erzählte, ist die Wahrheit. Aber, wie Sie vielleicht schon vermutet haben werden, spielt all das keine Rolle. Diese Bestimmungen und Abkommen wurden vorsätzlich verletzt.« Er pflanzte seine Füße fest auf den Boden und fuhr mit erhobener Stimme fort: »Enro ist der Schaumschlägerei der Liga müde. Er will den Krieg in weitestem Ausmaß, und er hat mir die ausdrückliche Instruktion gegeben, die Null-A-gläubige Bevölkerung der Venus als vorsätzliche Provokation und als ein abschreckendes Exempel auszurotten.«

Mit leiser Stimme endete er: »Ihretwegen habe ich mich entschlossen, seine Befehle nicht auszuführen.«

Gosseyn saß sprachlos. Ohne sich dessen bewußt zu sein, hatte Thorson einen Grund für das Auftauchen mehrerer Gosseyns genannt. Er, der Kopf einer unwiderstehlichen Kriegsmaschine, eingestellt auf rücksichtslose Vernichtung, war von seinem Ziel abgebracht worden. Sein geistiges Auge war über die normalen Realitäten seines Lebens hinausgerichtet, und die Vision der Unsterblichkeit, die er erblickte, machte ihn für alles andere blind. Es gab immer noch Unklarheiten in diesem Bild — aber um diesen Mann von seinem Ziel abzubringen, war Gosseyn ein zweitesmal zum Leben erwacht. Es gab keinen Zweifel, in welche Richtung Thorsons Logik ihn führte.

»Gosseyn, wir müssen den kosmischen Schachspieler finden. Ja, ich sagte ›wir‹. Ob Sie es begreifen oder nicht, Sie müssen bei dieser Suche dabei sein. Es kann Ihnen nicht entgangen sein, daß Sie nur eine Figur sind, eine unvollständige Version des Originals. Ganz gleich, wie weit Sie sich entwickeln, Sie werden wahrscheinlich nie erfahren, wer Sie sind, und welches das wirkliche Ziel der Person hinter Ihnen ist. Und Sie müssen begreifen, Gosseyn, daß diese Person nur zeitweilig aus dem Konzept gebracht worden ist. Wo immer er diese zusätzlichen Körper hernehmen mag, Sie können sicher sein, daß er Sie nur für eine relativ kurze Zeitspanne braucht, während der er andere in Produktion nimmt. Es klingt unmenschlich, ich weiß, aber es hat keinen Sinn, wenn Sie sich selbst etwas vormachen. Was Sie jetzt auch tun, welche Erfolge Sie auch erringen, in sehr kurzer Zeit werden Sie für den Schrotthaufen ausersehen sein. Und durch den Unfall, der den dritten Gosseyn ausgelöscht hat, besteht die Möglichkeit, daß die Lebenserinnerungen des ersten und zweiten Gosseyn verlorengehen.«

Thorsons Gesicht war eine Studie in Berechnung, in gespannter Erwartung. Mit vor Erregung rauher Stimme sagte er: »Natürlich bin ich bereit, für Ihre Mitarbeit einen Preis zu zahlen. Ich werde Null-A nicht zerstören. Ich werde keine Kernwaffen einsetzen. Ich werde mit Enro brechen, oder ihn jedenfalls so lange wie möglich im unklaren lassen. Ich werde hier nur einen hinhaltenden Krieg führen und Gemetzel unter der Bevölkerung vermeiden. Alles das zu zahlen bin ich für Ihre freiwillige Zusammenarbeit bereit. Wenn ich Ihre Hilfe erzwingen muß, fühle ich mich nicht gebunden. Die einzige Frage, die demnach zu beantworten bleibt, ist, ob Sie freiwillig helfen wollen.«

Die graugrünen Augen starrten Gosseyn mit brennender Intensität an. Gosseyn, der frühzeitig erkannt hatte, was kommen würde, und der seine Entscheidung getroffen und einige der Folgerungen durchdacht hatte, sagte nun ohne Zögern:

»Freiwillig, natürlich. Aber ich hoffe, Sie werden verstehen, daß der erste Schritt die Ausbildung meines zusätzlichen Gehirns sein muß. Sind Sie bereit, Ihrer Logik bis zu dieser Grenze zu folgen?«

Thorson kam herüber und klopfte Gosseyn gönnerhaft auf die Schulter. »Ich bin schon ein Stückchen weiter«, sagte er selbstgefällig. »Wir haben zwischen hier und der Erde ein Transportsystem eingerichtet. Crang wird mit Dr. Kair jeden Augenblick hier eintreffen. Prescott wird erst morgen nachkommen, denn er soll hier auf der Venus den Befehl übernehmen, und so mußte er unseren Anhängern auf der Erde zuliebe das Raumschiff nehmen. Aber . . .«

Jemand klopfte an die Tür. Sie ging auf, und Dr. Kair betrat den Raum, gefolgt von Crang. Thorson winkte ihnen zu, und Gosseyn stand auf und schüttelte dem Psychiater die Hand. Er hörte, wie Thorson und Crang leise miteinander sprachen. Dann schritt Thorson zur Tür.

»Ich überlasse es Ihnen dreien, die Einzelheiten in Muße durchzusprechen. Crang berichtet mir eben, daß auf der Erde eine größere Revolution ausgebrochen ist. Da werde ich im Palast gebraucht, um den Truppeneinsatz zu leiten.«

29

»Am besten fangen wir gleich an«, sagte Dr. Kair. »Soweit ich informiert bin, haben Techniker einen besondere Raum für Sie eingerichtet. Mit der Ausrüstung, die Thorson bereitgestellt hat, dürfte die Ausbildung nicht sehr schwierig sein.« Er schüttelte verwundert den Kopf. »Es fällt mir immer noch schwer, zu begreifen, daß es hier mehrere Quadratkilometer unterirdischer Gebäude gibt, mit Crangs Baumhaus nur als Fassade.« Er furchte nachdenklich die Stirn. »Aber um auf das zurückzukommen, was ich sagen wollte: Der Hauptpunkt ist, wenn unsere Vermutungen stimmen, daß Ihr Gehirn ein organischer Verzerrer ist, mit allen Folgerungen, die sich daraus ergeben. Mit der Hilfe des mechanischen Verzerrers sollten Sie in der Lage sein, innerhalb von vier oder fünf Tagen zwei kleine Holzklötze einander so anzugleichen, daß der Annäherungseffekt erreicht wird. Und das wird nur der Anfang sein.«

Es dauerte nur zwei Tage.

Später saß Gosseyn allein in dem dunklen Raum, in dem das Experiment stattgefunden hatte, und starrte auf die beiden Holzklötze. Anfangs waren sie drei Zentimeter voneinander entfernt gewesen. Zu keiner Zeit hatte er eine Bewegung gesehen, aber nun berührten sie sich. Der scharf gebündelte Lichtstrahl, der die beiden Klötze anstrahlte, markierte ihre veränderte Position unmißverständlich. Auf irgendeine Weise, ohne daß er etwas davon gemerkt hatte, waren Gedankenwellen von seinem zusätzlichen Gehirn ausgegangen und hatten die Materie kontrolliert.

Die Herrschaft des Geistes über die Materie — ein alter Traum der Menschheit. Nicht daß ihm das Experiment ohne Hilfe geglückt wäre. Alle erdenklichen Anstrengungen waren darauf verwendet worden, die beiden Holzklötze einander ähnlich zu machen, und ohne den mechanischen Verzerrer hätte er es nicht geschafft. Das Gerät hatte die Klötze bis auf neunzehn Dezimalstellen einander angeglichen. Und doch, der letzte Impuls war von ihm ausgegangen. Es war tatsächlich der Anfang.

Nach drei Tagen mit weiteren Experimenten kam Thorson von der Erde zurück, um Dr. Kair bei seinen Versuchen zu assistieren. Die Aufnahmen von Gosseyns Gehirn zeigten Tausende winziger Linien — die Bahnen von Nervenenergieimpulsen, die in das zusätzliche Gehirn hinaufreichten.

Die Tests wurden verlängert, und als Gosseyn sich endlich zu seinem Wohnraum aufmachte, war er erschöpft. Auf halbem Weg zum Aufzug bemerkte er einen kleinen metallischen Ball, dem winzige Elektronenröhren wie Borsten entragten. Die merkwürdige Kugel schwebte hinter ihm in der Luft. Prescott, der die Wachen befehligte, fing seinen erstaunten Blick auf.

»Das Ding enthält einen Vibrator«, erläuterte er kühl. »Er dient dazu, geringfügige Veränderungen in der Molekularstruktur der Wände, Böden und Decken hervorzurufen — in allen Räumen, wo Sie gewesen sind. Der Vibrator wird Ihnen von nun an überallhin folgen. Es ist eine Vorsichtsmaßnahme für eine Zeit, in der Sie imstande sein werden, sich selbst von Ihrem Zimmer aus zu irgendeinem Stück Materie zu transportieren, dessen Struktur Sie sich zuvor eingeprägt haben.«

Gosseyn antwortete nicht. Er hatte sich nie die Mühe gemacht, seine Abneigung für Prescott zu verbergen, und nun blickte er den Mann bloß an. Prescott zuckte die Achseln, sah auf seine Uhr und meinte: »Es ist unsere Absicht, Sie mit allen verfügbaren Mitteln festzuhalten, Gosseyn. Zu diesem Zweck haben wir eine kleine Überraschung für Sie vorbereitet.«

Gosseyn fragte sich immer noch, welcher Art diese Überraschung sein mochte, als er wenige Minuten später das Licht in seinem Wohnraum einschaltete, sich umzog und zu dem engen Alkoven ging, wo die Betten standen. Eine Bewegung brachte ihn zum Stehen. In einem der Betten setzte sich eine Gestalt auf und blickte ihn aus schläfrigen Augen an. Gosseyn erkannte das Gesicht auch im Halbdunkel sofort.

»Wir kommen uns immer wieder in die Quere, wie es scheint«, sagte Patricia Hardie.

30

Gosseyn setzte sich mit einer eckigen Bewegung auf das andere Bett. Seine Erleichterung war groß, doch als sie rationaleren Erwägungen Platz machte, erinnerte er sich an Prescotts Worte. »Vermutlich werden Sie umgebracht, wenn ich zu fliehen versuche«, sagte er zögernd.

Sie nickte. »So etwas Ähnliches. Es war Mr. Crangs Idee.«

Gosseyn legte sich auf sein Bett und starrte zur Decke empor. Wieder Crang. Seine Zweifel an dem Mann begannen sich aufzulösen. Er fragte sich, ob Thorson Patricia hatte töten wollen, und ob dies Crangs Kompromißvorschlag gewesen war, um ihr das Leben zu retten, ohne sich selbst preisgeben zu müssen. Ein brillanter Mann, dieser Eldred Crang, dachte Gosseyn. Der einzige, der in dieser ganzen Affäre bisher noch keinen persönlichen Fehler gemacht hatte. Aus den Augenwinkeln spähte er zu Patricia hinüber. Sie gähnte fortgesetzt und streckte sich wie eine Katze, dann drehte sie plötzlich den Kopf und begegnete seinem Blick.

»Haben Sie gar keine Fragen zu stellen?« erkundigte sie sich.

Er dachte darüber nach. Über Crang konnte er sie natürlich nicht fragen. Und er hatte keine Ahnung, wieviel Thorson von ihr erfahren hatte. Gosseyn sagte vorsichtig: »Ich glaube, ich kenne die ganze Situation ziemlich gut. Wir auf der Erde und der Venus sind Zeugen geworden, wie ein machthungriges interstellares Imperium versucht, sich ein weiteres Planetensystem einzugliedern. Es ist alles sehr mörderisch, ein extremes Beispiel dafür, wie neurotisch eine Zivilisation werden kann, wenn es ihr nicht gelingt, eine Methode zu entwickeln, mittels der der menschliche Teil mit dem tierischen Teil des menschlichen Geistes integriert werden kann. Jahrhunderte wissenschaftlicher Entwicklung haben sie mit der Anstrengung verschleudert, Macht und Größe zu gewinnen, wo sie nichts weiter nötig gehabt hätten, als zu lernen, wie man zusammenarbeitet. Ja, ich bilde mir ein, daß ich mir ein ziemlich gutes Gesamtbild mache. Allerdings bereitet mir der Status gewisser Personen immer noch Kopfzerbrechen. Zum Beispiel der Ihre.«

»Ich bin Ihre Frau«, sagte Patricia Hardie.

Es irritierte Gosseyn, daß sie in einer so schwierigen Situation scherzen konnte.

»Halten Sie es nicht für unklug«, sagte er vorwurfsvoll, »derartige Geständnisse zu machen? Man könnte Abhörgeräte — nun, Sie wissen schon.«

Sie lachte leise, dann erwiderte sie ernst: »Mein Freund, Thorson wird von dem scharfsinnigsten Mann an der Nase herumgeführt, dem ich je begegnet bin. Eldred Crang. Eldred hat dafür gesorgt, daß wir ungeniert sprechen können.«

Gosseyn ließ das hingehen; er konnte verstehen, daß sie ihren Geliebten bewunderte. Das Mädchen fuhr fort: »Ich weiß nicht, wie lange Eldred so weitermachen kann wie bisher, oder wie lange er uns noch schützen kann. Thorson wird uns umbringen, wenn es ihm in seinen Kram paßt, und er wird es genau beiläufig tun wie bei meinem Vater und X. Wenn die Person hinter Ihnen uns im Stich läßt, sind wir alle schon jetzt so gut wie tot.«

Diese Überzeugung des Mädchens beunruhigte Gosseyn. Sie hatte offensichtlich nicht das geringste Vertrauen zu seinen Fähigkeiten. War es möglich, daß sie alle von einem Individuum abhingen, was noch nicht ein einzigesmal offen in Erscheinung getreten war? Hatte Crang keine Lösung für den Tag parat, wo das zusätzliche Gehirn fertig ausgebildet wäre? Er stellte die Frage.

»Eldred hat keine Pläne«, sagte Patricia. »Von diesem Punkt an gehen Sie Ihren eigenen Weg.«

Gosseyn löschte das Licht. »Patricia«, sagte er, »halten Sie es für einen Fehler, daß ich auf Thorsons Plan eingegangen bin?«

»Ich weiß nicht.«

»Wir werden diese mysteriöse Person finden, glaube ich.«

Nach kurzem Zögern sagte sie: »Eldred glaubt es auch.«

»Warum hat Eldred Crang Ihren Vater nicht gewarnt?«

»Er wußte nicht, was geplant war.«

»Sie meinen, Thorson mißtraut ihm?«

»Nein. Aber X war Eldreds Mann, nicht Thorsons, und Thorson dachte anscheinend, Eldred würde sich seiner Ermordung widersetzen, und so bediente er sich Prescotts.«

»X war ein Anhänger von Crang?« fragte Gosseyn staunend. »Ja.«

»Mir scheint«, sagte Gosseyn säuerlich, »daß die gesamte Opposition gegen Enro auf den Machinationen von Eldred Crang aufgebaut ist. Ist er vielleicht der komische Schachspieler?«

»Bestimmt nicht«, sagte Patricia sofort.

»Wieso sind Sie da so sicher?«

»Er hat ein Bild von sich, auf dem er als Kind zu sehen ist.«

»Bilder können gefälscht sein.«

Sie antwortete nicht darauf. Gosseyn bohrte weiter. »Ist er ein galaktischer Agent?«

»Nein.« In ihrer Stimme klang Stolz an. »Eldred Crang ist Eldred Crang. Aber er hat mich mit der Liga in Verbindung gebracht.«

»Und Sie wurden Agentin der Liga?«

»Auf meine Art, ja.«

»Was meinen Sie damit?«

»Die Liga«, sagte Patricia Hardie, »leidet unter vielen Unzulänglichkeiten. Sie kann nicht entschlossener handeln als ihre Mitglieder. Es ist leicht, furchtbar leicht, ein Sternsystem zum Wohle des Ganzen zu opfern. Das machte ich mir immer klar, und so arbeitete ich durch die Liga für die Erde. Das Personal der Liga hat sich schon vor langer Zeit mit der Null-A-Philosophie vertraut gemacht, aber es ist den Leuten nie gelungen, sie anderswo einzuführen. Die verschiedenen Regierungen setzen sie mit Pazifismus gleich, was objektiv falsch ist. Sie können sich eben keinen Staat vorstellen, dessen Bevölkerung sich sofort auf die Bedürfnisse einer jeden Situation einstellt, auch wenn sie einen extremen Militarismus verlangt. So etwas ist ihnen unheimlich, weil sie es gewohnt sind, die Bevölkerungsmassen nach ihrem eigenen Gutdünken zu manipulieren.«

Gosseyn nickte. Das deckte sich mit dem, was Thorson ihm gesagt hatte. Er wunderte sich nicht mehr, warum Enro ein so abgelegenes und obskures Planetensystem gewählt hatte, um seinen Krieg zu provozieren. Ein solcher Angriff stellte eine besonders wirksame Herausforderung der Liga und ihrer Grundsätze dar.

»Übrigens war es Eldred«, sagte Patricia, »der entdeckte, daß die Unfallverletzungen bei der Explosion vor zwei Jahren den alten Lavoisseur von einem großen Wissenschaftler in den blutrünstigen Wahnsinnigen verwandelt hatten, den Sie als X kennenlernten. Er glaubte, der Mann werde sich erholen und zu einer nützlichen und wertvollen Persönlichkeit werden, aber das war nicht der Fall.«

Wieder Eldred. Gosseyn seufzte.

Die Stille zwischen ihnen zog sich in die Länge. Mit jeder Minute wurde Gosseyn entschlossener, grimmiger. Er machte sich keine Illusionen. Dies war die Ruhe vor dem Sturm. Thorson hatte sich von seinen ursprünglichen Zielen ablenken lassen. Das gab der Welt des Null-A Gelegenheit, sich zu bewaffnen, und die Liga bekam noch ein paar Wochen Frist, um sich davon zu überzeugen, daß Enro den Krieg wollte. Thorson würde sein privates Spiel spielen, solange er es wagte, aber wenn er sich bedroht fühlte, würde er rechtzeitig umschwenken und den Vernichtungskrieg zu Ende führen.

Gosseyns Hoffnungen engten sich wieder ein. Realistisch betrachtet, war es nur eine einzelne Person, die mit der Hilfe von ein paar unwissenden Assistenten wie ihm selbst gegen die kolossale Macht einer unvernünftigen, allumfassenden galaktischen Zivilisation arbeitete.

Es ist nicht genug, dachte er. Ich darf mich nicht zu sehr darauf verlassen, daß ein anderer Wunder vollbringt.

In diesem Moment, mit dieser Erkenntnis, wurde der erste Keim zur verzweifelten Tat geboren.

31

Zwei Tage später bog er in der Dunkelkammer ohne Hilfe des Verzerrers zwei Lichtstrahlen zusammen. Er fühlte es als eine deutliche, unmißverständliche Abstimmung, als ein neues und zusätzliches Bewußtsein seines Nervensystems.

Als die Tage vergingen, wurden diese Empfindungen schärfer und kontrollierbarer. Er konnte Energien, Bewegungen fühlen und sie augenblicklich identifizieren. Er reagierte auf die feinsten Impulse, und am sechsten Tag vermochte er Dr. Kair von den anderen an einer ›Freundlichkeit‹ zu unterscheiden, die von dem Mann ausging.

Es war ganz natürlich, daß er sich besonders für die Unterscheidung der Emotionen interessierte, die Crang, Thorson und Prescott ihm entgegenbrachten. Letzterer stand ihm mit unversöhnlicher Feindseligkeit gegenüber. Thorson war ein Machiavellist; er betrachtete seinen Gefangenen weder freundlich noch feindlich. Er war sowohl vorsichtig wie resolut. Crang war neutral, aufmerksam und verschlossen zugleich. Sein Spiel war so kompliziert, daß keine scharf umrissenen Reaktionen durchkamen.

Doch am meisten überraschte ihn Patricia. Da war nichts, absolut nichts. Wieder und wieder versuchte Gosseyn Kontakt mit den Energieimpulsen ihres Nervensystems aufzunehmen, aber nie kam er zu einem Ergebnis. Am Ende mußte er die Schlußfolgerung ziehen, daß ein Mann sich auf eine Frau nicht einstimmen konnte.

Während dieser Tage begann er seinen Plan zu entwickeln. Es war ihm jetzt klar, daß er sich nur auf sich selbst verlassen durfte und nicht länger auf jenen mysteriösen Schachspieler. Dieser war ein Konzept aus Thorsons aristotelisch geschultem Geist. In der Realität würde er sich wahrscheinlich als jemand erweisen, der eine Methode der Unsterblichkeit entdeckt hatte und nun ohne hinlängliche Mittel versuchte, die Pläne einer unüberwindlichen Militärmacht zu durchkreuzen. Er hatte bereits bewiesen, daß es ihn wenig kümmerte, was aus Gilbert Gosseyns verschiedenen Körpern wurde. Zum Teufel mit ihm!

Eines Abends machte Gosseyn einen Versuch, den Vibrator unter Kontrolle zu bringen. Die Kompliziertheit des Geräts überraschte ihn. Das Ding entsandte viele verschiedene Energien. Es war ein ununterbrochenes Pulsieren auf wenigstens zehn Wellenlängen. Sein Versuch gelang schließlich, weil es eine kleine Maschine war und ihre Teile in der Raumzeit eine fast kompakte Einheit bildeten. Die Zeitdifferenz zwischen den zahllosen Funktionen war kein Faktor.

Dies aber war der Grund, warum seine Beherrschung des Vibrators im Hinblick auf seine Flucht ohne Bedeutung war. Denn der Zeitfaktor wurde wichtig, wenn er gleichzeitig mit der Kontrolle des Vibrators versuchte, die Struktur einer Sektion des Fußbodens zu memorieren. Beide konnte er nicht beherrschen, und dabei blieb es. Er konnte den Vibrator oder den Boden kontrollieren, niemals beide zusammen. Thorson, Prescott und ihre Leute verstanden sich auf ihr Fach, soviel war ihm bald klar.

Am neunzehnten Tag gab man ihm eine Stange aus Elektronenstahl mit einer konkaven Vertiefung an einem Ende. Behutsam konzentrierte Gosseyn seine geistigen Impulse auf die kleine elektrische Kraftquelle, die man im Raum aufgestellt hatte. Knisternd sprangen die Energieströme über und sprühten in Funkenkaskaden aus der Vertiefung der Stange gegen den Boden, die Decke und das Beobachtungsfenster, hinter dem Dr. Kair und Thorson warteten. Nach einer Minute brach Gosseyn schaudernd das Experiment ab und reichte die Stahlstange einem Soldaten. Erst dann kam Thorson heraus.

»Nun, Mr. Gosseyn«, sagte er beinahe respektvoll, »wir wären dumm, wenn wir Ihnen eine noch weitergehende Ausbildung geben würden. Nicht daß ich Ihnen mißtraute...« Er lachte etwas gepreßt. »Das tue ich nicht. Aber ich glaube, Sie sind jetzt soweit, daß Sie unseren Mann finden werden. Packen Sie ein, was Sie wollen, und halten Sie sich in einer Stunde bereit.«

Gosseyn nickte geistesabwesend. Prescott erschien mit zwei Wachen. Sie nahmen Gosseyn in ihre Mitte und geleiteten ihn zum Aufzug. Er betrat den Fahrkorb als erster, dann drängten die Männer hinter ihm herein. Prescott stellte sich an die Bedienungstafel. In einer einzigen Bewegung sprang Gosseyn ihn an, packte ihn und schlug seinen Kopf gegen die Metallwand. Im nächsten Moment hatte er dem Mann die Strahlpistole entrissen und die nächste Röhre hinter ihm in die Halterung gedrückt.

Alle Konturen verschwammen wie in rasender Bewegung. Der Augenblick ging vorbei, und dann zuckte weißes Feuer aus dem dicken, häßlichen Lauf der Energiewaffe, und die drei Männer wurden tödlich getroffen.

Die erste Verzweiflungstat war ein voller Erfolg.

32

Gosseyn öffnete den Reißverschluß und schälte sich den Anzug vom Leib. Er hatte den Verdacht, daß elektronische Ortungsinstrumente in den Stoff eingewebt waren. Ohne den Anzug begann er sich wohler zu fühlen, aber erst als er hastig in Prescotts Kleider und Schuhe gefahren war, glaubte er für den nächsten Schachzug bereit zu sein.

Er öffnete die Tür des Aufzugs und spähte einen unbekannten Korridor entlang. Er machte sich kaum Gedanken darüber, wo er sich befand; es spielte keine Rolle, denn diese erste Phase hatte nur einen Zweck: den Vibrator loszuwerden.

Er warf ihn ohne Umstände hinaus und stieß die drei Körper hinterher. Einige Meter entfernt befand sich eine Tür, aber er hatte keine Zeit für Nachforschungen.

Wieder im Aufzug, drückte er eine Röhre ein, die ihn zu einem anderen unbekannten Korridor führte. Wie der erste war auch dieser leer. Gosseyn prägte sich einen Teil der Wand gegenüber dem Aufzugschacht ein und gab der Stelle die Schlüsselzahl eins. Dann rannte er hundert Meter den Korridor entlang um die nächste Ecke, wo er das gleiche mit einer Stelle des Fußbodens tat. Er stand einen Moment da und konzentrierte sich, dann dachte er: Eins!

Sofort war er wieder vor dem Aufzugschacht.

Noch nie hatte er ein derartiges Triumphgefühl erlebt wie in diesem Augenblick. Er sprang in den Aufzug zurück und drückte eine dritte Röhre ein. Die Schlüsselworte für den neuen Korridor waren Zwei und B. Er arbeitete schnell und ohne Zwischenfall, und doch war nach seiner Schätzung eine halbe Stunde vergangen, als er sein selbstgestecktes Ziel erreicht hatte: Neun Schlüsselworte. Er kehrte in den Aufzug zurück und drückte die Röhre, die ihn zu dem Korridor brachte, der zu Patricias und seinem Wohnraum führte. Nichts deutete darauf hin, daß man seinen Ausbruch entdeckt hatte. Gosseyn war zufrieden. Er hatte achtzehn Orte, zu denen er sich zurückziehen konnte. Er sah, daß seine Hände etwas zitterten, und die Kleider klebten an seinem Körper. Eine natürliche Sache, dachte er. Er war angespannt. In weniger als dreißig Minuten würde die größte militärische Unternehmung starten, die je ein einzelner Mann durchgeführt hatte, wenigstens nach seinem Wissen. Und in einer Stunde würde er siegreich oder tot sein.

Er betrat sein Quartier, ohne anzuklopfen. Patricia Hardie sprang aus einem Sessel auf und rannte ihm entgegen. »Wo sind Sie gewesn?« stieß sie hervor. »Eldred war hier und hat Sie gesucht.«

Nichts in ihrer Stimme deutete an, daß sie wußte, was geschehen war, und doch erschreckten ihre Worte Gosseyn. Er hatte ein ungutes Gefühl.

»Crang!« sagte er. »Was wollte er?«

»Er brachte letzte Instruktionen.«

Gosseyn stieß den Atem hörbar aus. »Mein Gott!«

Er fühlte eine plötzliche Schwäche. Er hatte gewartet und gewartet, daß Nachricht käme. Er hatte mit seiner Aktion bis zum letzten möglichen Moment gewartet. Und nun dies.

Die Frau schien seine Reaktion nicht zu bemerken. »Er sagte, Sie sollten sich sofort zum Institut für Semantik begeben und dort mit — mit...« Sie schwankte, als ob sie im Begriff wäre, in Ohnmacht zu fallen.

Gosseyn hielt sie fest, schüttelte sie. »Mit wem?«

Sie seufzte. »Sie sollen dort mit einem bärtigen Mann zusammenarbeiten.« Sie richtete sich langsam auf, aber sie zitterte noch. »Es ist schwer, sich vorzustellen, daß Eldred die ganze Zeit von ihm gewußt hat.«

»Aber wer ist er?«

»Das hat Eldred nicht gesagt.«

Der Zorn, der Gosseyn überkam, war um so heftiger, als ihre Eröffnung nach den unwiderruflichen Taten der letzten halben Stunde kaum noch eine Bedeutung haben konnte. Aber er unterdrückte den Zorn mit seiner ganzen Willenskraft. Patricia Hardie durfte keinen Verdacht schöpfen, nicht bevor sie ihm alles gesagt hatte, was sie wußte.

»Wie ist der Plan?« fragte er heiser.

»Tod für Thorson.«

Das war Gosseyn klar. »Ja, und?« fragte er.

»Dann wird Eldred die Armee kontrollieren, die Thorson mitgebracht hat. Thorson hat den Befehl über hundert Millionen Mann in diesem Sektor des galaktischen Systems. Wenn diese Streitkräfte Enro entzogen werden könnten, würde es ein Jahr oder länger dauern, um einen neuen Angriff auf die Venus zu organisieren.«

Gosseyn ließ sich auf einen Stuhl sinken. Die Logik war bestechend. Er selbst hatte einfach geplant, Thorson zu töten, und weil er mit einem Fehlschlag des Versuchs rechnete, hatte er im Falle des Mißlingens die Zerstörung der feindlichen Nachschubbasis beabsichtigt. Verglichen mit Crangs weitaus umfassenderem Vorhaben, barg dieser Plan nur geringe Aussichten.

»Eldred sagt, Thorson könne nicht hier im Stützpunkt beseitigt werden«, fuhr Patricia hastig flüsternd fort. »Es gebe zu viele Warnanlagen und Wachen. Er müsse anderswohin geführt werden, wo er weniger gut geschützt sei.«

Gosseyn nickte ernüchtert. Alles das war ebenso vage wie gefährlich. Er sollte mit einem bärtigen Mann zusammenarbeiten und Thorson töten. Er blickte auf.

»Ist das alles, was Crang sagte — zusammenarbeiten?«

»Mehr hat er nicht darüber gesagt.«

Sie erwarteten viel von ihm, dachte Gosseyn bitter. Wieder sollte er blindlings den Ideen einer anderen Person folgen.

»Patricia«, fragte er, »wer ist Crang?«

Sie sah ihn an, ein wenig erstaunt, wie es ihm schien. »Wissen Sie es nicht? Haben Sie es noch nicht erraten?«

»Zweimal habe ich etwas vermutet«, antwortete Gosseyn, »aber ich konnte mir nicht erklären, wie er es hätte machen können. Wenn eine galaktische Zivilisation einen Mann wie ihn hervorbringen kann, dann ist es besser, wir geben Null-A auf und übernehmen ihr Erziehungssystem, soviel ist mir klar.«

»Es ist viel einfacher«, sagte das Mädchen leise. »Vor fünf Jahren, im Laufe seiner Praxis auf der Venus, wurde sein Verdacht auf die Null-A-Vorspiegelungen eines Mannes gelenkt, der mit ihm an der Aufklärung eines Falles arbeitete. Der Mann war ein Agent Prescotts. Das war seine erste leise Ahnung von der galaktischen Verschwörung. Damals hätte eine Warnung nur dazu geführt, daß Enro eine rasche Entscheidung getroffen hätte, und Eldred hatte natürlich keine Ahnung, was wirklich geplant war. Er verließ sich darauf, daß andere entdecken würden, was er in Erfahrung gebracht hatte, und so beschränkte er sich darauf, seine eigenen Spuren zu verwischen. Die nächsten Jahre verbrachte er draußen im Raum, wo er sich im Dienst des galaktischen Imperiums emporarbeitete. Natürlich paßte er sich den Erfordernissen jeder Situation an. Er sagte mir einmal, er habe einhundertsiebenunddreißig Männer töten müssen, um bis an die Spitze zu gelangen. Was er tut, betrachtet er als Teil seiner normalen Pflicht und als durchschnittliche . . .«

»Durchschnittlich!« explodierte Gosseyn. Und dann wurde er nachdenklich. Er hatte seine Antwort. Eldred Crang, ein durchschnittlicher venusianischer Detektiv, hatte einen Aktionsplan vorgeschlagen. Es war vielleicht nicht der beste Plan, aber er gründete sich zweifellos auf mehr und auf genauere Informationen, als sie Gilbert Gosseyn zur Verfügung standen. Ein Bestandteil des Plans, nämlich der, den mysteriösen Schachspieler ans Tageslicht zu bringen, würde ihn bis zu einem gewissen Maß für das unrühmliche Ende dessen entschädigen, was er mit so viel Kühnheit angefangen hatte.

Er würde sich fangen lassen, und es würde wahrscheinlich ein paar unangenehme Stunden geben, besonders wenn sie ihn mit einem Lügendetektor befragten. Aber das Risiko mußte er eingehen.

Im Laufe der darauffolgenden Jagd floh Gosseyn nacheinander zu den neun numerierten Zufluchtsorten, wobei er die mit Buchstaben bezeichneten als Reserve für den Fall ließ, daß man ihm die falschen Fragen stellte. Er endete im Korridor Nummer sieben. Dort gab er vor, am Ende seiner Möglichkeiten zu sein, brannte eine Wand heraus, indem er die darin verlegten elektrischen Leitungen kurzschloß, und ließ sich gefangennehmen.

Er mußte jeden Muskel in seinem Körper spannen, um sich die Erleichterung nicht anmerken zu lassen, als er sah, daß der Mann, der sein Verhör führte, Eldred Crang war. Das folgende Hin und Her der Fragen und Antworten schien an Gründlichkeit nichts zu wünschen übrigzulassen, aber die Fragen waren so geschickt formuliert, daß der Lügendetektor kein einzigesmal eine wichtige Tatsache preisgab. Als das Verhör endlich vorüber war, beugte sich Crang über die Gegensprechanlage und sagte: »Ich glaube, Mr. Thorson, Sie können ihn ohne Gefahr mit zur Erde nehmen. Ich werde mich hier um alles kümmern.«

Gosseyn hatte sich bereits Gedanken gemacht, wo Thorson sein mochte. Es war klar, daß der Mann keine unnötigen Risiken auf sich nahm, und doch mußte er persönlich zur Erde. Das war das Schöne an der ganzen Sache. Die Suche nach dem Geheimnis der Unsterblichkeit konnte nicht an Untergebene delegiert werden, deren Lebenshunger vielleicht auch sie in die Gefahr brächte, ihre Pflicht zu vergessen.

Thorson stand neben einer Reihe von Aufzügen, als Gosseyn zu ihm geführt wurde. Er gab sich herablassend.

»Es ist, wie ich dachte«, sagte er. »Ihr Extragehirn hat seine Grenzen. Wenn es fähig gewesen wäre, allein eine größere Invasion zu verhindern, dann wäre der dritte Gosseyn ohne lange Vorbereitungen zum Vorschein gebracht worden. Die Wahrheit ist, ein Mann ist immer verwundbar. Selbst mit einer begrenzten Unsterblichkeit und ein paar Körpern, mit denen er herumspielen kann, vermag er nur wenig mehr zu erreichen als jeder andere kühne und entschlossene Mann. Seine Gegner brauchen bloß ungefähr seinen Aufenthaltsort zu kennen, und eine Atombombe könnte in der betreffenden Nachbarschaft alles auslöschen, bevor er einen klaren Gedanken fassen könnte.«

Er machte eine abwinkende Geste. »Das mit Prescott wollen wir vergessen. Um die Wahrheit zu sagen, es ist mir ganz lieb, daß es so gekommen ist. Das gibt den Dingen wieder ihre richtige Perspektive. Aber daß Sie es versucht haben, zeigt, daß Sie meine Motive völlig mißverstanden haben. Wir wollen diesen Schachspieler nicht umbringen, Gosseyn. Wir wollen nur an dem teilhaben, was er hat.«

Gosseyn sagte nichts, aber er wußte es besser. Es lag in der Natur eines Aristotelikers, daß er nicht freiwillig mit anderen teilte. Durch die ganze Geschichte war der Kampf um die Macht, waren die Ermordung von Rivalen und die Ausbeutung der Wehrlosen die Realität der Natur des unintegrierten Menschen gewesen. Julius Cäsar und Pompeius wollten das Römische Reich nicht miteinander teilen. Napoleon, zuerst ein tapferer Verteidiger seines Vaterlandes, wurde zu einem machtbesessenen Eroberer. Solche Männer waren die geistigen Vorfahren Enros, der das galaktische System mit niemandem teilen wollte. Auch jetzt, da Thorson mit seelenruhiger Miene dastand und jede Ambition verleugnete, mußte es in seinem Gehirn von Plänen und Visionen eines grandiosen Schicksals sieden. Gosseyn war froh, als der Riese sagte: »Gehen wir. Wir haben genug Zeit verschwendet.«

33

Was du sagst, das ein Ding sei, ist es nicht. Es ist viel mehr. Es ist eine Verbindung im weitesten Sinne. Ein Stuhl ist nicht einfach ein Stuhl. Es ist eine Struktur von unbegreiflicher Komplexität. Sich diese komplexe molekulare chemische Struktur einfach als Stuhl vorzustellen, hieße, das Nervensystem auf das einzuengen, was Korzybski eine Identifikation nennt. Es ist die Totalität solcher Identifikationen, die das neurotische, das unvernünftige und das dem Wahn verfallene Individuum hervorbringt.

Anonym

Die Stadt der Maschine hatte sich verändert. Kämpfe hatten stattgefunden, und überall sah man zerstörte Gebäude. Als sie zum Palast kamen, wunderte Gosseyn sich nicht länger, daß Thorson die letzten Tage auf der Venus verbracht hatte.

Der Palast war eine geborstene, halb ausgebrannte Ruine. Mit den anderen wanderte Gosseyn durch die trümmerbesäten Korridore und Räume, und das wehmütige Gefühl, den Niedergang einer Zivilisation mitzuerleben, verließ ihn keinen Augenblick. Das Schießen in den Randbezirken bildete eine nervenzermürbende Geräuschkulisse. Thorson bemerkte kurz: »Hier sind sie genauso schlimm wie auf der Venus. Sie kämpfen, bis nichts mehr da ist, für das zu kämpfen sich lohnte.«

»Es ist ein im Sinne der Null-A-Philosophie völlig logisches Verhalten«, erwiderte Gosseyn. »Vollkommene Anpassung an die Notwendigkeiten einer Situation.«

»Ah!« sagte Thorson verdrießlich, dann wechselte er abrupt das Thema. »Fühlen Sie etwas?«

Gosseyn schüttelte wahrheitsgemäß den Kopf. »Nichts.«

Sie kamen durch Patricias Wohnung. In der Außenwand des Wohnzimmers klaffte ein riesiges Loch. Überall hatte der Luftdruck von Detonationen die Fenster und Türen samt ihren Rahmen herausgeblasen. Durch leere Fensterhöhlen blickte Gosseyn hinaus in die Richtung, wo sich einmal die Maschine erhoben hatte, ein Juwel, das die grüne Erde krönte. Wo sie gewesen war, hatte man Tausende von Wagenladungen Erde ausgekippt, vielleicht mit der Absicht, alle Spuren eines Symbols auszutilgen, das für das Ringen der Menschheit um Vernunft gestanden hatte.

Im Palast waren keine Anhaltspunkte zu gewinnen, und nach einem Rundgang begab sich der ganze Troß von Männern und Geräten zum Semantischen Institut.

Gepanzerte Fahrzeuge und Truppen in grünen Uniformen füllten die Straßen dessen, was einmal die Stadt der Maschine gewesen war. Geschwader von Bombern und Jagdmaschinen rasten im Tiefflug über sie hinweg. Hoch über ihnen schwebten Raumschiffe scheinbar bewegungslos im Himmel, bereit zum Eingreifen. Thorsons Wagenkolonne wurde durch abgesperrte und bewachte Straßenzüge zu dem berühmten Platz geleitet. Vor dem ausladenden Portal zeigte Thorson auf die in den weißen Marmor gemeißelten Worte. Gosseyn blieb bedrückt stehen und las die alte Inschrift:

DAS NEGATIVE URTEIL
IST DIE HÖCHSTE GEISTESHALTUNG

Es war wie ein Seufzer über die Jahrhunderte. Milliarden von Menschen hatten gelebt und waren gestorben, ohne jemals zu ahnen, daß ihr positiver Glaube mitgeholfen hatte, jene zerrütteten Gehirne zu schaffen, mit denen sie die Realitäten ihrer Welten konfrontiert hatten.

Männer in Uniformen kamen aus dem Portal. Einer von ihnen sagte etwas zu Thorson. Seine Sprache war nasal und unverständlich. Der große Mann wandte sich zu Gosseyn um.

»Es ist verlassen«, sagte er.

Gosseyn schwieg. Verlassen. Das Wort echote durch die Korridore seines Geistes. Das Institut für Semantik verlassen. Er hätte es sich natürlich denken können. Die verantwortlichen Männer waren auch nur Menschen, und man konnte nicht von ihnen verlangen, daß sie im Kampfgebiet ausharrten.

Thorson sprach zu den Männern, die den Vibrator bedienten. Gosseyn fühlte die pulsierenden Ausstrahlungen des Geräts. Nachdem Thorson die Leute instruiert hatte, wendete er sich Gosseyn zu.

»Wir schalten den Vibrator wieder ab, wenn wir hineinkommen. Mit Ihnen lasse ich mich auf nichts ein.«

Gosseyn riß sich von seinen Gedanken los. »Wir gehen hinein?«

»Wir werden das ganze Haus auseinandernehmen, wenn es sein muß. Es könnte versteckte Räume geben.«

Er fing an Befehle zu brüllen. Die Leute seines Gefolges rannten durcheinander, einige verschwanden durch das Portal, aus dem immer noch Uniformierte kamen, um Meldung zu machen. Sie sprachen alle dasselbe nasale Idiom, und erst als Thorson ihm mit grimmigem Lächeln zunickte, begann Gosseyn zu ahnen, was geschah.

»Sie haben einen alten Mann gefunden, der in einem Laboratorium arbeitet. Sie können nicht verstehen, wieso sie ihn vorher nicht gesehen haben, aber das spielt keine Rolle.« Er winkte ungeduldig ab. »Ich habe ihnen gesagt, sie sollen ihn in Ruhe lassen, während ich mir die Sache überlege.«

Gosseyn zweifelte nicht an der Richtigkeit der Übersetzung. Thorson war blaß. Mehr als eine Minute stand der große Mann finster grübelnd da.

Plötzlich sagte er: »Das ist ein Risiko, das ich nicht auf mich nehme. Wir gehen hinein, aber . . .«

Sie durchschritten das Portal mit seinen edelsteinbesetzten Platintoren und kamen in die große Eingangshalle. Jeder Quadratzentimeter der hohen Wände und der gewaltigen Deckenkuppel war mit Brillanten eingelegt. Die Wirkung war so frappierend, daß Gosseyn sich des Eindrucks nicht erwehren konnte, die Erbauer hätten sich übernommen. Das Gebäude war zu einer Zeit errichtet worden, als man eine große Kampagne durchgeführt hatte, um die Bevölkerung zu überzeugen, daß die sogenannten Juwelen und Edelmetalle, die so lange als das eigentliche Wesen des Reichtums betrachtet worden waren, tatsächlich nicht wertvoller waren als andere seltene Materialien. Selbst nach Hunderten von Jahren wirkte die Propaganda wenig überzeugend.

Sie gingen durch einen Korridor, dessen Wände mit Einlegearbeiten aus Rubinen geschmückt waren, und erstiegen eine Treppe mit Stufen aus massivem Rosenquarz. Der Vorraum des Obergeschosses und der anschließende Korridor bestanden aus getriebenem Silber. Überall wimmelte es von Menschen. Gosseyn fühlte seine Hoffnungen schwinden. Als sie in den Korridor einbogen, blieb Thorson stehen und zeigte auf eine Tür am Ende des etwa dreißig Meter langen Ganges.

»Dort drinnen ist er.«

Gosseyn stand wie in einem Nebel. Er öffnete den Mund, um zu fragen, ob der alte Mann einen Bart habe, aber er brachte keinen Laut über die Lippen. Er wußte nicht, was er machen sollte.

Thorson nickte ihm zu. »Ich habe einen halben Zug Infanterie in dieses Laboratorium geschickt. Die Soldaten sind jetzt bei ihm und bewachen ihn. Nun sind Sie an der Reihe. Gehen Sie zu ihm und sagen Sie ihm, daß dieses Gebäude umstellt ist, daß er nichts mehr ausrichten kann und daß er nach Hause gehen soll.«

Dann reckte er sich, bis er seinen Gefangenen um einen halben Kopf überragte. »Gosseyn«, sagte er scharf, »machen Sie keine Dummheiten. Ich warne Sie. Wenn irgend etwas schiefgeht, zerstöre ich Erde und Venus.«

Seine Drohung blieb nicht ohne Wirkung auf Gosseyn. Sekundenlang funkelten sie einander wie zwei Raubtiere an, bereit, sich an die Gurgeln zu springen. Thorson war es, der die Spannung mit einem Auflachen löste.

»Schon gut, schon gut«, schnappte er. »Wir sind beide nervös und gereizt. Vergessen wir das. Aber denken Sie daran, daß es um Leben oder Tod geht. Vorwärts!«

Gosseyn fröstelte von innen heraus. Langsam setzte er sich in Bewegung.

»Gosseyn, wenn du zu der Nische vor der Tür kommst, geh hinein. Dort bist du sicher.«

Gosseyn zuckte zusammen, als ob ihn ein Schlag getroffen hätte. Kein Wort war gesprochen worden, und doch war der Gedanke so klar in seinen Geist gekommen, wie wenn es sein eigener gewesen wäre.

»Gosseyn, jeder Wandabschnitt enthält einen Energieabstrahler, der unter Hochspannung steht.«

Nun gab es keinen Zweifel mehr. Trotz der Behauptung, die Prescott einmal getan hatte, daß es ohne eine auf zwanzig Dezimalstellen genaue Einstimmung auf ein anderes Gehirn keine Telepathie geben könne, empfing er die Gedanken eines anderen.

Alles entwickelte sich so anders, als er erwartet hatte, daß er nur mühsam weitergehen konnte.

»Gosseyn, geh in die Nische und zerstöre den Vibrator!«

Er bewegte sich bereits auf die Tür zu, als dieser Gedanke kam. Er sah die Nische fünf Meter vor sich, dann zwei; und dann kam ein Aufbrüllen von Thorson.

»Raus aus der Nische! Was machen Sie da?«

»Zerstöre den Vibrator.«

Er gab sich Mühe. Sein Körper pulsierte mit lautloser Energie, als er sich auf das Gerät einstimmte. Sein Sehvermögen wurde momentan getrübt, als ein künstlicher Blitzstrahl an der Nische vorbeischoß. Thorson brach zusammen. Gosseyn sah, daß der Kopf des Mannes fast weggebrannt war, und daß das grellweiße Feuer den Korridor entlangfuhr. Stimmen kreischten in Agonie. Ein Feuerball schwebte von der Decke und umhüllte den Vibrator. Er zerplatzte in einer Flammenwolke und zerfetzte die Männer, die das Gerät bedient hatten. Sofort hob sich das Gewicht der vibrierenden Energieimpulse von Gosseyns Nerven.

»Schnell, Gosseyn! Laß sie nicht zu sich kommen. Gib ihnen keine Gelegenheit zu Gegenmaßnahmen. Ich kann nichts tun.

Ich bin verwundet. Säubere das Gebäude, dann komm zurück. Schnell! Ich bin schwer verletzt.«

Verletzt! In qualvoller Beklemmung malte Gosseyn sich aus, wie der Mann starb, bevor er irgendeine Information von ihm bekommen konnte. Er aktivierte eine Energiequelle — und in zehn Minuten hatte er das Gebäude und den Platz davor in Rauch und Trümmer verwandelt. Korridore glühten im mörderischen Feuer, das er hindurchjagte. Wände und Decken stürzten ein und begruben Soldaten unter sich. Die Fahrzeuge im Hof waren brennende Wracks. Keiner — der Gedanke war beinahe wie das Feuer selbst — nicht einer von dieser Wachmannschaft darf entkommen!

Und keiner entkam. Soldaten und Spezialisten mit ihren Fahrzeugen und Maschinen hatten den Platz und das Gebäude besetzt. Zerrissene, verkohlte Leichen und verglühtes Metall waren alles, was übrigblieb. Gosseyn blickte von einem der Ausgänge zum Himmel auf. Die Maschinen kreisten in dreihundert Meter Höhe. Ohne Thorsons Befehl würden sie nicht ohne weiteres Bomben abwerfen. Vielleicht hatte Crang sie bereits unter seine Kontrolle gebracht.

Er konnte nicht warten und sich vergewissern. Er rannte zurück ins Gebäude, sprang über Trümmer, hetzte einen schwelenden Korridor entlang. Erst als er das Laboratorium betrat, hielt er inne. Überall lagen die Leichen von Thorsons Wachmannschaft. In einem Schreibtischsessel hing zusammengekauert ein bärtiger alter Mann. Er blickte mit verglasten Augen zu Gosseyn auf, brachte ein Lächeln zustande und sagte: »Nun, wir haben es geschafft!«

Seine Stimme klang tief und irgendwie vertraut. Gosseyn starrte ihn an, und ihm fiel ein, wo er diese Baßstimme schon einmal gehört hatte. Der Schock des Wiedererkennens reduzierte seine Reaktion auf ein einziges Wort.

»X!« stieß er laut hervor.

34

Der alte Mann hustete. Er wand sich dabei qualvoll in seinem Sessel. Die Bewegung zeigte Gosseyn die versengten Kleiderfetzen an der rechten Seite des Alten und das verbrannte Fleisch darunter, schwarz und mit geronnenem Blut verklebt.

»Nicht so schlimm«, murmelte der Mann. »Ich kann die Schmerzen ganz gut unterdrücken, wenn ich nicht gerade husten muß. Selbsthypnose, wissen Sie.« Er richtete sich mühsam auf. »X«, sagte er. »Ja, ja, der bin ich wohl, wenn man es so sehen will. Ich habe X als meinen persönlichen Spion in die höchsten Kreise entsandt. Aber natürlich wußte er es nicht. Das ist das Schöne an dem System der Unsterblichkeit, das ich vervollkommnet habe. Alle Gedanken des aktiven Körpers werden telepathisch von anderen, passiven Körpern der gleichen Zucht empfangen. Natürlich mußte ich von der Bildfläche verschwinden, als er auftrat. Es wäre zu verwirrend gewesen, wenn es auf einmal zwei Lavoisseurs gegeben hätte, wissen Sie.« Er seufzte müde. »In diesem Fall brauchte ich jemand, dessen Gedanken mich erreichten, während ich bei Bewußtsein war, und so beschädigte ich ihn und beschleunigte damit seinen Lebensvorgang. Das war grausam, aber es machte ihn zu dem ›Größeren‹ und mich zu dem ›Kleineren‹. Auf diese Weise empfing ich seine Gedanken. Davon abgesehen war er unabhängig. Er war tatsächlich der Schurke, für den er sich hielt.«

Der Kopf sank ihm auf die Brust, und er schloß die Augen. Gosseyn befürchtete, der alte Mann werde nicht mehr aufwachen, wenn er einmal in die Bewußtlosigkeit hinübergedämmert wäre. Er fühlte einen neuen Anflug von Verzweiflung, denn er konnte nichts tun. Der Spieler lag im Sterben, und Gilbert Gosseyn wußte immer noch nichts über sich. Ich muß es aus ihm herausquetschen, dachte er in plötzlicher Panik, und er beugte sich über den Alten und schüttelte ihn.

»Wachen Sie auf!«

Der alte Mann öffnete die müden Augen und schaute ihn nachdenklich an. »Ich habe versucht«, murmelte die Baßstimme, »Energie freizusetzen und diesen Körper zu töten. Es ging nicht ... Wissen Sie, es war immer meine Absicht, nach Thorsons Tod selbst von dieser Welt zu gehen ... Ich hatte erwartet, sofort erschossen zu werden, als ich die Verteidigung auslöste ... Die Soldaten haben schlechte Arbeit geleistet.« Er schüttelte den Kopf, blickte zu Gosseyn auf. »Wollen Sie mir eine Waffe von einem dieser Soldaten bringen? Es fällt mir schwer, die Schmerzen abzuwehren.«

Gosseyn holte einen Energiestrahler, aber als Lavoisseur die Hand danach ausstreckte, schüttelte er den Kopf. Der Alte sah ihn scharf an.

»Sie wollen Informationen, wie?« murmelte er. Er kicherte und hüstelte. »Schon gut. Was wollen Sie?«

»Meine Körper. Wie . . .«

»Das Geheimnis der Unsterblichkeit«, sagte der alte Mann, ohne den Rest der Frage abzuwarten, »erfordert die Isolation des doppelten Potentials der beiden Elternteile in einem Individuum, etwa wie bei Zwillingen oder Brüdern, die einander gleichen. Theoretisch kann diese Ähnlichkeit durch eine normale Geburt erreicht werden. Aber in der Praxis läßt sich eine geeignete Umgebung nur unter Laboratoriumsbindungen schaffen, wenn die Körper in bewußtlosem Zustand in einem elektronischen Inkubator gehalten werden. Dort, ohne eigene Gedanken, von Maschinen massiert und ernährt, entwickeln sich ihre Körper allmählich und lassen gewöhnlich auch Abweichungen vom Original erkennen. Aber ihr Verstand verändert sich nur in Übereinstimmung mit den Gedanken, die sie von ihrem Alter ego empfangen, das draußen in der Welt ist. Für diesen Prozeß ist außerdem eine Art Lügendetektor notwendig, ein Instrument, das gewisse überflüssige Gedanken abschneidet. In Ihrem Fall wurden nahezu alle nicht unbedingt nötigen Gedankeneindrücke verhindert, damit Sie nicht zuviel erfuhren. Obwohl der Tod einen Körper nach dem anderen hinwegrafft, bleibt die Persönlichkeit wegen dieser Gedankengleichheit weiterhin bestehen.«

Der Kopf des alten Mannes sank auf die Brust. »Das ist es. Das ist praktisch alles. Crang hat Ihnen die meisten Gründe direkt oder indirekt gegeben. Wir mußten diesen Angriff abwehren.«

Gosseyn fragte: »Und das zusätzliche Gehirn?«

Der Alte seufzte. »Es existiert in der Embryonalform in jedem normalen menschlichen Gehirn, kann sich jedoch unter den Spannungen des bewußten Lebens nicht entwickeln. Genau wie sich der Kortex von George, jenem unter Hunden aufgewachsenen Jungen, unter den abnormen Bedingungen seines Lebens nicht hatte entwickeln können, so erweist sich die bloße Anspannung der aktiven Existenz in den frühen Stadien als zu stark für das zusätzliche Gehirn. Unterbindet man alle diese Spannungen, kann es natürlich sehr stark werden . . .«

Er schwieg, und Gosseyn ließ ihn ausruhen, während sein Geist das Gehörte verarbeitete. Doppeltes Potential. Wahrscheinlich handelte es sich um Kulturen solcher männlicher Spermatozoen; die dazu nötigen wissenschaftlichen Voraussetzungen waren seit Hunderten von Jahren gegeben. Die Entwicklung des Lebens in Inkubatoren war sogar noch älter. Der Rest war Detail. Nun kam es darauf an, herauszubringen, wo sie verwahrt wurden.

Er stellte seine Frage, und als er keine Antwort bekam, packte er den Alten bei der Schulter. Bei der Berührung fiel der Körper schlaff vorwärts. Gosseyn fing ihn erschrocken auf und senkte ihn behutsam auf den Boden. Dann kniete er nieder und lauschte über dem stillen Herzen. Und er dachte, und seine Lippen formten die unausgesprochenen Worte: »Du hast mir noch nicht genug gesagt, Alter. Über alle Hauptpunkte bin ich im unklaren.«

Der Gedanke erzeugte eine Unruhe, die sich nur widerwillig legte. Er begriff, daß dies das Leben war, das Leben, in dem nichts jemals endgültig geklärt wurde. Er war frei, und dies war der Sieg.

Er kniete nieder und durchsuchte die Taschen des Alten. Sie waren leer. Er war im Begriff, wieder aufzustehen, als er vernahm:

»Mein Gott, Mann, geben Sie mir die Waffe!«

Gosseyn erstarrte. Wieder beugte er sich über den alten Mann, und dann wurde ihm klar, daß er die Gedanken eines Toten empfangen hatte. Unentschlossen zuerst, dann entschiedener, begann er den Körper sanft zu schütteln. Die Zellen des menschlichen Gehirns waren extrem hinfällig, aber sie starben nicht sofort nach dem Aufhören des Herzschlags ab. Wenn ein Gedanke gekommen war, konnten auch noch andere kommen. Die Minuten vergingen. Es war der verwickelte Prozeß des Sterbens, dachte Gosseyn, der die Verzögerung verursachte. Er hatte bereits einiges von der Ähnlichkeit zerstört, die Lavoisseur zwischen ihnen hergestellt hatte.

»Ich kann geradeso gut noch ein Weilchen am Leben bleiben, Gosseyn. Die nächste Gruppe Körper ist ungefähr achtzehn Jahre alt. Warten Sie, bis sie dreißig sind — das ist das richtige Alter: dreißig . . .«

Das war alles, aber Gosseyn zitterte vor Aufregung. Er mußte auf eine Ansammlung noch aktiver Gehirnzellen gestoßen sein. Wieder verging eine Minute, und dann:

». . . Ich habe mich oft gefragt, ob da nicht noch ein anderer sei. Ich sah mich selbst als Königin in dem Schachspiel — aber dann kam ich nicht weiter, denn eine Königin, egal wie mächtig, ist auch nur eine Figur. Wer ist also der Spieler? ... Ehrlich gesagt, Gosseyn, ich glaube nicht, daß es einen gibt ... Wieder einmal schließt sich der Kreis, und wir sind nicht weiter als zuvor ...«

Verzweifelt bemühte Gosseyn sich, die Verbindung zu halten, aber er nahm nur noch verschwommene Bruchstücke auf und dann nichts mehr. Wie er in sich hineinhorchte, um weitere Gedanken aufzufangen, wurde er sich des Phantastischen seines Tuns bewußt. Er sah sich selbst in diesem geborstenen, juwelenbesetzten Gemäuer knien und die Gedanken eines Toten in sich aufsaugen. Der persönliche Gedanke verblaßte, denn er bekam noch einmal Kontakt.

»... Vor mehr als fünfhundert Jahren, Gosseyn ... baute ich die Null-A-Philosophie auf, die ein anderer erdacht hatte ... Das Geheimnis der Unsterblichkeit durfte nicht den Unintegrierten zufallen, die es, wie Thorson, als ein Mittel zu persönlicher Macht mißbraucht hätten ...«

Die Verschwommenheit kam zurück, und während der folgenden Minuten wurde offenkundig, daß die Zellen den Zusammenhalt und die Einheit der Persönlichkeit verloren. Wilde Gehirnzellen blieben übrig, verwirrte Gruppen, Massen von Neuronen, die ihre verschiedenen Bilder unsicher gegen den herankriechenden Tod festhielten. Schließlich fing Gosseyn noch einen zusammenhängenden Gedanken auf:

»... Ich entdeckte den galaktischen Stützpunkt und besuchte das Universum ... Ich kam zurück und überwachte den Bau der Maschine ... Nur eine Maschine konnte am Anfang die undisziplinierten Horden kontrollieren, die auf der Erde lebten ... Und vor allem wählte ich die Venus als den Planeten aus, wo die neuen, integrierten Menschen ...«

Mehr bekam er nicht. Minuten und Minuten vergingen, und nur gelegentlich und in immer weiteren Abständen gingen verwischte Impulse von den absterbenden Gehirnzellen aus. Gosseyn erhob sich. Bis auf einen Punkt war er befriedigt. Er verspürte die von innen heraus glühende Erregung eines Mannes, der über den Tod triumphiert. Doch nach einer Weile begann ihn gerade dieser eine Punkt zu stören. Er hatte vage im Hintergrund gestanden, aber nun kam er nach vorn, Produkt eines Bildes aus Lavoisseurs Gehirn.

Das konnte er nicht gemeint haben, dachte Gosseyn unsicher. Aber als er darüber nachdachte, begann alles andere sich zwanglos einzufügen, auch die Telepathie; und außerdem, wer sonst könnte er sein? Fieberhaft machte er sich auf die Suche nach Rasierzeug. In einem Waschraum im Rückgebäude fand er etwas. Mit zitternden Fingern verrieb er die Rasiercreme über das leblose Gesicht.

Bald hatte er den Bart wegrasiert. Er kniete da und blickte in ein Gesicht, das älter war, als er gedacht hatte, fünfundsiebzig, vielleicht achtzig Jahre alt. Es war ein unverkennbares Gesicht, und es beantwortete viele Fragen von selbst. Hier war ohne Zweifel die sichtbare, endgültige Realität seiner Suche.

Das Gesicht war sein eigenes.

ENDE